MW00607206

The House with the Scorpions:

Selected Poems and Song-Lyrics of Mikis Theodorakis

translated by

Gail Holst-Warhaft

Fomite
Burlington, Vermont

Copyright © 2020 Gail Holst-Warhaft
Images courtesy of Music Library of Greece "Lilian Voudouri"
All rights reserved. No part of this book may be reproduced in any form or by any means without the prior written consent of the publisher, except in the case of brief quotations used in reviews and certain other noncommercial uses permitted by copyright law.

ISBN-978-1-947917-13-2
Library of Congress Control Number: 2019940224
Fomite
58 Peru Street
Burlington, VT 05401
www.fomitepress.com

Για τον Μίκη Θεοδωράκη με απέραντη ευγνωμοσύνη για τη μουσική του, την έμπνευσή του και τη φιλία του.

Γκέιλ

Ιθάκη, 14.7.20

For Mikis Theodoραις with boundless gratitude for his music, his inspiration, and his friendship.

Gail

Ithaca, July 14, 2020

Περιεχόμενα

Contents

Acknowledgements

I would like to thank Stephanie Merakou, Director of the Lilian Voudouri Great Music Library of Greece for her assistance with and permission to use material from the Theodorakis archive. I thank Rena Parmenidou, Theodorakis's chief assistant, not only for her help assembling this volume, but for her warm friendship over many years. Thanks to my old friend Ayis Gallopoulos and his partner Voula Hioni for additional help with editing and to Zoe Dionysiou of the Ionian University. To Mikis Theodorakis I am eternally grateful for the inspiration of his creativity and courage, for access to his manuscripts, and above all, for the precious gift of his friendship.

In this country I thank my publishers, Marc Estrin and Donna Bister for agreeing to publish this book and insisting on producing it as a bi-lingual text — no easy task, but one they assumed with their customary skill and enthusiasm.

Forward

Apart from being an excellent musician and writer, Gail Holst-Warhaft is also my great friend.

We met for the first time in Sydney in 1972 and from then on, we have been in constant contact.

Concerning my poetry, I believe that she has a deep knowledge of the core of my thinking and my position through the labyrinthine pathways of my turbulent progress in a world in constant flux.

My poetry, nevertheless, has remained steadfast in its commitment to love and the anguish of a utopian struggle. From this perspective, its ideological character is universal because it reflects the psychology of mankind beyond all borders.

I nurture a genuine admiration for the American public, despite my objections to the country's official politics, with which I'm in disagreement.

I believe in freedom, in democracy, and in justice, and for that reason I find myself so close to the roots of the American Nation.

It follows that Gail's initiative has a twin character: aesthetic, and human. That's why I hope the American reader will discern, beneath the verses, the love and friendship I feel for each and every one of them.

Mikis Theodorakis
Athens, September 2019

Introduction

When someone asked Mikis Theodorakis where he got his inspiration for his music, he answered: "It's very simple. I never thought of my music as anything but a way to clothe Greek poetry." It was an answer I think no other living composer would have given, and it illustrated perfectly the character of modern Greece, at least during the period when Theodorakis began composing. When poetry was first written and published in modern Greece, in the second half of the 19th century, music and poetry were still intimately wedded in the Greek folk tradition. Poetry was the literary form to which Greeks turned naturally, and in the 20th century it flourished, especially in the years following the 1922 influx of refugees from Asia Minor. Like other members of his generation,Theodorakis read poetry from an early age, and was inspired by a generation of Greek poets who achieved international stature – Constantine Cavafy, George Seferis, Odysseas Elytis, Nikos Kazantzakis, Yannis Ritsos, Nikos Gatsos. And like many of his contemporaries, Theodorakis wrote poetry all his life.

Theodorakis is known to the world as a composer. To the English-speaking world, unfortunately, he is known principally for his film scores, particularly the score of *Zorba the Greek*, and a few of his popular songs. In Europe his work is better known, but again it is only a small part of his prodigious output that has reached a wide audience; his symphonic compositions and operas remain to be discovered by most followers of contemporary classical music. For those who lived through the 1960's and 70's, when a military dictatorship took control of Greece, Theodorakis will remain a symbol of resistance to that regime. His tall figure, crowned by a wild mane of hair, galvanized audiences who attended his concerts all over the world. Few of those who heard his music understood the words of his songs or realized what an extraordinary combination of poetry and music they were hearing. But such was the appeal of his melodic and rhythmic music, so powerful the voice of his lead singer Maria Farandouri, so charismatic the exiled composer whose music had been banned in his own country, that no-one left his concerts unmoved.

In Greece, Theodorakis's music is especially tied to the political events of a certain period – not only to the dictatorship of 1967-74, but to the years immediately preceding it, when Theodorakis rose to prominence as a cultural and political leader. Culture and politics were inseparable in post-war Greece. Many of the leading figures in Greek intellectual and artistic life had joined the partisans to fight first against the Italians, and later the Germans who occupied Greece from 1941 to 1944. At the beginning of the Occupation, Theodorakis's father, a staunch republican in a country sharply divided between royalists and "Venizelists" (Greeks loyal to the Greece's first outstanding republican leader, Eleftherios Venizelos), was a civil servant stationed in Tripolis, a provincial town in the mountains of the Peloponnese. Together with a small circle of friends, the fifteen year-old Theodorakis, who had already begun writing songs and poems, began reading the poetry of Yiannis Ritsos and other Greek poets, and published a small volume of his own poems entitled *Siao* under the pseudonym Dinos Mais.[1] Poetry was, Theodorakis believed, the only weapon he and his friends had to confront the menace of the Occupation. Each day they would meet to read and discuss

1 The title is the name for a type of Chinese flute, said to resemble the Arcadian flute. Maiis (Μάης) is Greek for the month of May, which, to the young Theodorakis, symbolized the vitality of youth.

poetry together. This was also the time of his first love – a girl named Elli. Despite, or perhaps because of the terrible events of that first year of the Occupation, the young Theodorakis lived in a state of euphoria:

> *I found myself in a continuous state of spiritual hyper-stimulation which lifted me more and more above everyday reality. I listened to, played, and wrote music. I read books, especially poetry; those were the most important things.*
> (*The Ways of the Archangel*, v.1)

Theodorakis, who sang in the choir of the Orthodox Church in Tripolis, began composing music in his teens, winning an award for his *Hymn to Kassiani* and writing his first instrumental piece, a *Sonata for Piano*. After taking part in a demonstration against the Italian occupiers in March 1942, he was tortured for the first time. The following year he left Tripolis to study composition under Philoctites Economides at the Athens Conservatory. During the remaining two years of the occupation, as famine took a daily toll on the Athenian population and the communist-led resistance organization, E.A.M, became increasingly powerful in the countryside, Theodorakis continued to study composition and joined the left-wing youth organization E.P.O.N. His future wife, Myrto Altinoglou, a medical student, was also involved in E.P.O.N. Arrested in 1944, Theodorakis narrowly escaped death by telling his German interrogator that he was a composer. Although committed to the resistance, he was shocked by the violence that erupted on all sides during this period and the revenge taken by guerrillas on captured Germans and collaborators.

Following the German withdrawal from Greece, in October

1944, E.A.M. and its partisan army E.L.A.S. controlled most of Greece. Anxious to avoid a left-wing takeover in Greece, British Prime Minister Winston Churchill supported a group of former politicians led by George Papandreou, encouraging them to form a government of national unity that would include representatives of E.A.M., but only after the partisans had given up their weapons. Fearful they were being tricked, the E.A.M. leaders refused to co-operate and called for a demonstration in the center of Athens on December 3rd. The police opened fire on the demonstrators, killing at least 15. The immediate aftermath was a series of attacks on police stations followed by gunbattles between British and Greek fighters that would almost certainly have resulted in a victory for the E.A.M./E.L.A.S. forces had not Churchill called for reinforcements of crack British troops from Italy. The hostilities ended temporarily when E.L.A.S. agreed to disarm in return for an amnesty. This agreement was soon broken by the government and their supporters and led directly to the beginnings of the Greek Civil War.

During 1946 and 1947, a campaign of terror was launched against suspected leftists. At a demonstration in Athens protesting the elections of March 31st, 1946, Theodorakis was seriously wounded and left for dead in the Athens morgue. Found by his future wife Myrto and his father, he was smuggled out of the morgue and nursed back to health.

In July, 1947, Theodorakis was arrested again, together with thousands of other former partisans, communists, and suspected leftist sympathizers and transported to the rocky island of Psitaleia. The prisoners suffered terrible thirst for fifteen days before they were moved to the remote Aegean island of Ikaria. Here they found themselves in an already-established community of political exiles who had organized their lives, as the resistance organization E.A.M. had done in the mountains, in communes, sharing whatever food and skills they possessed. It was a meager life, but it had its compensations – not only the natural beauty of the island and the sympathy of most of the local villagers, but the companionship of idealists who still dreamed of a victory for the left.

In October 1948, the government granted a partial amnesty to exiled prisoners. Theodorakis was released and sent back to Athens together with his friend Vasilis Zannos. Despite the amnesty, suspected communists were kept under surveillance, arrested and imprisoned. During the winter and spring of 1948 Theodorakis lived in hiding, moving from house to house and working on his music whenever he could. He was re-arrested in May and shipped back to Ikaria. This time the new prisoners were taken to the village of Daphne where they were forced into hard labor; later they were moved again to the village of Evdilos. From there they were transferred to the notorious prison island of Makronisos where, like all prisoners who refused to sign a declaration of repentance, Theodorakis was severely tortured. Transferred briefly to a military hospital, he was sent back a second time to Makronisos. Hundreds of his companions died in prison or were executed during this period. In 1949, fearing for his son's life, Yorgos Theodorakis managed to secure his son's release and Theodorakis went to recuperate at his father's family home in Crete.

During the 1950's, Theodorakis devoted himself to his music, composing and studying in Athens. He married Myrto Altinoglou, who had completed her medical degree, and in 1954 the couple left Greece on scholarships to study in Paris. While Myrto studied radiology at the Curie Institute, Mikis studied at the Paris

Conservatoire under Olivier Messiaen. He began a successful career as a composer, writing ballet music, film scores, and chamber works, and winning international awards and commissions. After Theodorakis's two children, Margarita and Yorgos were born, Myrto abandoned her career as a scientist.

Following the success of his score for the ballet *Antigone*, commissioned by Covent Garden, Theodorakis returned to Greece in 1959 prompted by a desire to "go back to the sources" of his inspiration. Shortly before he left Paris he had set a cycle of poems by Yiannis Ritsos to music. Instead of orchestrating the *Epitaphios* cycle as art songs, he used a popular singer and band to perform his music. A new chapter of Theodorakis's career began in the early 1960's, as he composed feverishly, setting Greek poets to music and performing his "music for the people" with his own popular orchestra in concerts all over the Greek countryside. Most of his best-known works, such as his setting of Odysseas Elytis's *Axion Esti*, of Yiannis Ritsos' *Romiossini*, and Brendan Behan's *The Hostage* were composed during these years. Theodorakis also collaborated with Greek writers to create popular musical theater pieces such as *Archipelago* and *Beautiful City*. His concerts were frequently broken up by the police and the musicians were harassed, but the audience for Theodorakis's music continued to grow.

In 1963 Theodorakis took part in the first Peace March from Marathon to Athens. Modeled on the London-to-Aldermarston marches begun by Bertrand Russell and other British liberal thinkers involved in the Ban the Bomb movement, the Greek march was organized by Grigoris Lambrakis, a deputy of the United Left Party, a professor of medicine and a colleague of Theodorakis. The murder of Lambrakis in Thessaloniki, dramatized in the Costa

Gavras movie *Z*, galvanized Greek society. As the trial progressed, witnesses disappeared one by one, and the murderers were demonstrated to have ties not only to the local police but to figures in the national government. Theodorakis became a leader of a left-wing youth movement named after Lambrakis.

In 1965, a brief period of limited democracy in Greece ended with the failure of Prime Minster George Papandreou to curb the powers of the army and the royal family. Papandreou was forced to resign and seventy days of almost continuous demonstrations followed, with the Lambrakis Youth Movement playing a leading role. A student member of the organization, Sotiris Petroulas, was killed by the police and Theodorakis composed a song for him which became the unofficial anthem of the movement. Terror and intimidation against the left began again, and Theodorakis went to Europe to seek support from fellow artists against the violations of human rights in Greece. He returned to a chaotic situation, where the King and his right-wing supporters took an increasingly militant stance against the government. Theodorakis was conspicuous in the demonstrations of students, unionists and other democratic forces. All his works were banned from the national radio. A campaign of 'artists against censorship' began. In 1966 Theodorakis organized concerts of his own work and that of his fellow composers in the privately-owned theater on the hill of Lykavitos in Athens. These concerts, attended by hundreds of thousands of Athenians, are still remembered as one of the high points of Greek musical life.

At 4 a.m. on April 21st, 1967 Theodorakis received a phone call warning him that tanks were rolling through Athens and troops were occupying the city. He immediately went into hiding. A coup d'état had been carried out by a group of obscure army colonels led by Yorgos Papadopoulos. The 13th proclamation of the colonels' 'State of Siege' was a complete ban on the broadcast and performance of Theodorakis's music. Soon the junta would ban any books, recordings or performances they considered inimical to their philosophy of 'Greece for Greek Christians.' While in hiding, Theodorakis continued to compose and smuggle his compositions and statements of resistance to the outside world. In August he was captured and transferred to Bouboulinas Prison in Athens, where he listened to the nightly screams of his fellow prisoners being tortured. He wrote the poems of *The Sun and Time* during this period, and later set fifteen of them to music. International protest undoubtedly saved him from torture but he was informed he would be put on trial and began a hunger strike. Each night he communicated with a prisoner in the next cell by knocking in code on the wall. His fellow prisoner was Andreas Lentakis, a leader in the Lambrakis Youth Movement, and Theodorakis later dedicated the four *Songs for Andreas* to him.

In December 1967. Theodorakis was transferred to Averof Prison where he continued to compose. It was here that he set Seferis's *Epifania* to music and staged a performance of it, having secretly taught the songs to his fellow-prisoners. Under mounting international pressure Theodorakis was released from prison and placed under house arrest. He immersed himself in his compositions and continued to make statements of protest about the situation in Greece to the foreign press. Because of his refusal to remain silent, he and his family were transferred to the remote village of Zatouna in the mountains of Arcadia. Here he was kept under heavy guard. He managed to continue composing, but his tuberculosis, contracted in the 1940's, returned, and there was no medical care.

Although most of the population of the village was sympathetic to Theodorakis's situation, the family was subject to humiliating searches each time they left the village and one day Theodorakis's nine-year-old son was slapped and stripped naked by a zealous policeman. When news of his treatment reached the outside world through a British journalist, and messages Theodorakis managed to smuggle out of the village, international pressure for his release intensified. Meantime he composed a series of songs in a new style that he called 'Flow Songs'. These were later published as *Arcadia 1-10*.

In 1969, because of constant breaches of security, Theodorakis was transferred once more, this time to Oropos prison on the coast near Athens. He was pleased to be back among his fellow-artists and political colleagues and began a new period of composition, writing and staging prison performances. He set Seferis's poem *Raven* to music and the poetry of Leopold Senghor. But the composer's health was steadily deteriorating and he was soon transferred to a sanatorium from where he was mysteriously spirited away to Paris by the radical French politician Jean-Jacques Servan-Schreiber. It took some months before his wife and children were able to escape in a small boat and join him.

During the years 1970 to 1974, when the dictatorship fell, Theodorakis's life was divided between his political and musical activities in Paris and a series of world tours on behalf of the struggle against the dictatorship. He continued to compose, setting the poetry of Sikelianos, Ritsos, and Pablo Neruda to music. In November 1973, a large demonstration by students of the Athens Polytechnic was crushed by tanks and a number of students were killed; dozens were arrested and beaten. Following the demonstration, during which Theodorakis's banned songs were constantly played on the students' pirate radio station, he immersed himself more deeply in political activities. The failure of the Junta's putsch in Cyprus and the ensuing Turkish invasion of Cyprus caused the junta to collapse in July, 1974, and the former conservative Prime Minister, Constantine Karamanlis, was called back from exile to lead a new government.

After the initial triumph of his return to Greece and huge public concerts of his works, Theodorakis suffered from the general disillusionment of the post-dictatorship period. He continued to be deeply engaged in Greek political life but was disappointed in the reception of his new compositions. He composed symphonic and choral works and gave concerts, especially abroad. His first opera *Kostas Kariotakis — The Metamorphosis of Dionysos* was performed in the Athens Opera House.

Theodorakis devoted the following decades to the cause of peace and international understanding, as well as to his classical compositions. Deeply concerned about the corruption he saw around him during the later days of Andreas Papandreou's administration, Theodorakis suggested that the conservative and the leftist parties combine to defeat the socialist party, PASOK. For the first time in post-war Greek politics the two opposing sides of the Civil War co-operated to form a government. Theodorakis supported the Conservative Party's promise to reform the political life of Greece, and when a deputy of the Party was assassinated by a left-wing terrorist group, he offered his support to conservative Prime Minister Constantine Mitsotakis. To most Greeks' surprise, he was elected as a deputy in 1989 and became a Minister in the new cabinet.

During the early 1990's Theodorakis was involved in many international efforts for peace. He toured Europe giving concerts for Human Rights and the solution of the Cyprus problem under the auspices of Amnesty International. He collaborated with Turkish artists and joined Turkish democrats in the struggle to gain their freedom. He visited Albania to defend the rights of the Greek minority, supported the Kurds in their struggle against oppression, appealed for a non-violent approach to the Palestinian struggle, and joined the committee to free Nelson Mandela. Amidst all this activity, he also completed his second opera, *Medea*, which had its premiere in Bilbao in 1991. In 1993, Theodorakis took over the management of the Symphony Orchestra and Chorus of the Greek National Radio. Touring with them, he was honored by the United States Senate for his services to culture and humanity. In 1994, he toured Europe, inspired by the efforts of the group "Doctors without Borders." He called his tour "Music without Borders." His third opera *Electra* was given its world premiere in Luxembourg in 1995. *Antigone* was presented in the Athens Concert Hall in October 1999. With this opera he completed his trilogy based on classical tragedy. As one might imagine, his opera stresses the eternal evils of civil strife and the need for peace and reconciliation. It was also not surprising that Theodorakis was a candidate for the Nobel Peace Prize in 2000.

There are many poets and composers whose life stories are of small relevance to their work. Theodorakis is not one of them. He is a man whose political and artistic lives are so closely interwoven that it is impossible to separate them. I have told only a fraction of his extraordinary life story, but enough, I hope, to place the poems and lyrics in a context that is especially important for readers unfamiliar with contemporary Greek history. I have made my selection from the composer's own manuscripts and arranged the poems in chronological order so as to emphasize the close relationship between the subjects of the poems and the events of Theodorakis's life. In selecting the poems I have been guided by a desire to represent each of the major periods of Theodorakis's life, by a decision not to omit any texts from works conceived of as a cycle of songs, and by my own preferences. The present, American edition of the poems and song-lyrics is not identical to the volume published in Athens by Livanis under the title *I Had Three Lives*. Because I have included parallel texts for the poems, I have reduced the number of poems in this edition.

Theodorakis has already touched many lives in many countries with his music alone. For those who understand Greek, the combination of his music with Greek poetry has been a lasting inspiration. This volume is intended to give interested readers the opportunity to read the poems as they listen to their musical settings.

Theodorakis's poems were a response to the dramatic events of his life. Scribbled in prison cells and on barren islands, they are the work of a man who had, as he said in one of his poems, three lives: one of heroic political struggle, one of boundless artistic creativity, and one of private loves and sorrows.

GHW

Ithaca, 2019

The House with the Scorpions

Sketch by Theodorakis of "The House with the Scorpions".
Vrakades, Ikaria, 1947

Ποιήματα νεολαίας, αγάπης, και πολέμου
Αθήνα 1943-1946

Theodorakis with his fiancée Myrto Altinoglou, 1949.

Poems of youth, love, and war
Athens 1943-1946

In our small group Myrto, Mimosa, I and two others used to like to swim out to a little reef, opposite the baths at Edem, which we used to call "the island." ... One day in July as we were on our way back, I noticed that Myrto and I had been left behind by ourselves. We were swimming side by side, one facing right, the other left. We looked into each other's eyes. And suddenly, without being aware of it, we found ourselves in each other's arms. We kissed and immediately went under. We swallowed some water. We emerged on the surface of the water different from when we had entered it.

(*The Ways of the Archangel*, 2:24)

Μικρή φαντασία

Ήρθες σαν αύρα κι απόθεσες τους Παράδεισους
στα χείλη μας μ' ένα φιλί. Και μας προσπέρασες.
Και σ' είδαμε, εκστατικοί να λιώνεις
μέσα στο Άπειρο Φως!
Τώρα πια τίποτα δε μένει που να θυμίζει το πέρασμά σου.
Μόνο τα φιλημένα χείλη μας
γίνηκαν αηδόνια που στενάζοντας πετούν προς κάθε λάμψη
τάχα μην είσαι συ και το φιλί σου.

Αθήνα, 10.24.1943

Small Fantasy

You came like a gentle breeze and planted Paradise
on our lips with a kiss. Then you moved on.
Ecstatic, we watched you dissolve
in the infinite light!
Now nothing is left to remind us of your passing
but our kissed lips
that became nightingales flying, sighing, toward every gleam of light
in case it might be you and your kiss.

Athens, 10.24.1943

Οδυσσέας

Γυρίζω! Γυρίζω! Γυρίζω!
Οι πόροι μου ανοίξανε στο πέρασμα της θάλασσας
που ήρθε και στήθηκε μες στην καρδιά μου.
Κι η καρδιά μου διάβηκε το κορμί μου
κι απλώθηκε σκορπίζοντας μες στην καρδιά του ωκεανού
τη γλυκειά μελωδία του γυρισμού.

Γυρίζω! Γυρίζω! Γυρίζω!
Πίσω από κάθε λουλούδι, κάθε νησί
και κάθε ομορφιά
προβάλλει εμπρός μου όραμα θείο
η μια κι αταίριαστη και πάντα όμοια Ιθάκη.
Λες κι όλη η φύση δεν έγινε παρά για να κρύβει
την ομορφιά της σαν τα αδύνατα σύννεφα
την ώρα της δύσης που σκεπάζουν τον ήλιο
για να υψώσουν πιο ψηλά την ομορφιά του.

Γύρω μου, μέσα μου, παντού θάλασσα.
Γελαστή κι αγαπημένη
καθρεφτίζει τον ήλιο, τ' άστρα και τους περαστικούς γλάρους.
Κάθε κύμα που περνά
με φέρνει σιμότερά σου.
Όλα όλα είναι γλυκά (πόσο γλυκά!)
ακόμα κι ο πιο αβάσταχτος ο πόνος
όταν με φέρνουν πιο σιμά σου ω Πατρίδα.

Αθήνα, 1943

Odysseus

I return! I return! I return!
My pores opened on my voyage through the sea
that came and took root in my heart.
And my heart passed through my body
and spread wide, dispersing in the ocean's heart
the sweet melody of return.

I return! I return! I return!
Behind every flower, every island
and every lovely thing
a divine vision reveals to me
the one inimitable, unchanging Ithaca.
You could say that all nature was made only to hide
its beauty like the thin clouds
that cover the sun at sunset
making its beauty more intense.

Around me, in me, everywhere, the sea.
Laughing and beloved,
it mirrors the sun, the stars and the passing gulls.
Every wave that passes
brings me closer to you.
Every single thing is sweet (so sweet!),
even the most unbearable pain
when it brings me closer to you, oh my country.

Athens, 1943

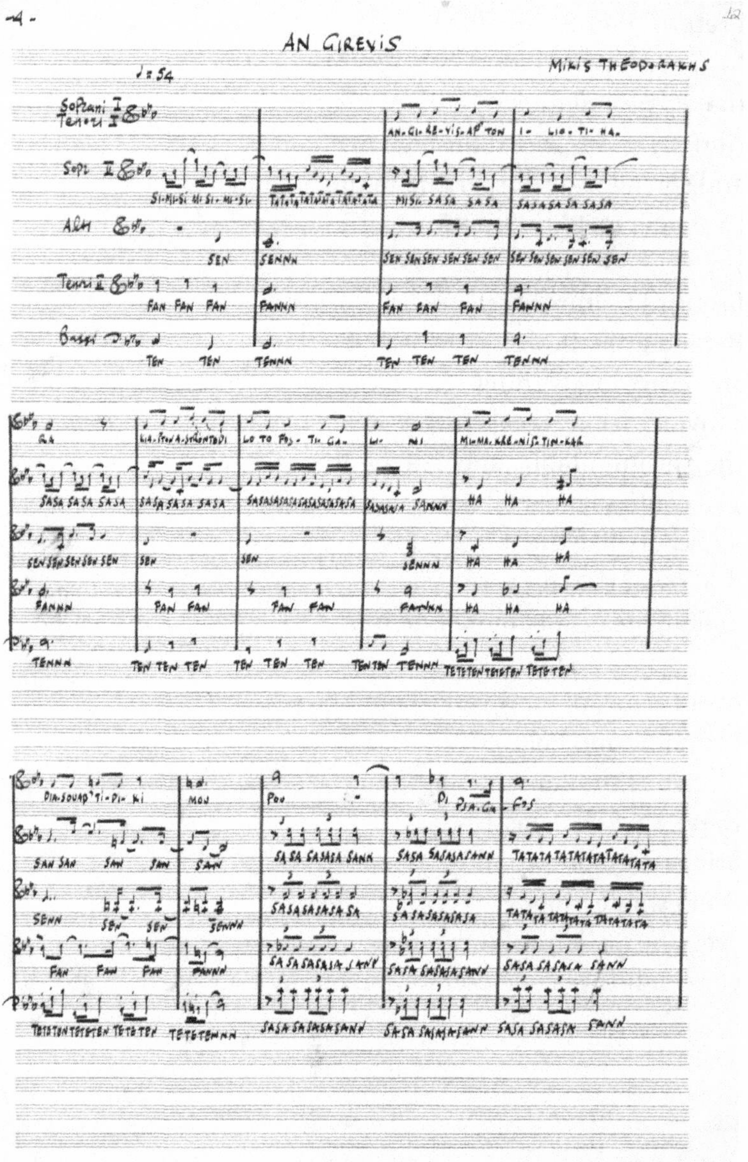

-4-
AN GIREVIS
MIKIS THEODORAKHS
♩= 54
Soprani I
Tenori I
Alti
Bassi

Manuscript copy of the song "If You Seek," 1946.
Music Library of Greece "Lilian Voudouri."

The whirlwind of events in 1945 was balanced by two other storms raging inside me: music and Myrto. Once a week, the group of poets, Petros, and I used to go to Patsias' cellar on Harilaos Trikoupis Street. When we had drunk enough, love-sickness would take hold of me. I'd go back to Nea Smyrni and lie down in the middle of the road, under her balcony. No matter whether it was raining or thundering. Myrto, who was a conscientious student, studied so much that she didn't have time to go out, except for three times a week. Often only two. So I found myself in a constant state of over-excitement. Then to combat it, I wrote poems, songs, music, and in the end love and art became one and the same thing inside me. When we had a rendezvous, I used to go half an hour earlier so as to enjoy the anticipation more. Then I would write music in my head. I found most of my themes at that period while I waited for her

In 1945, in front of the old Gestapo headquarters, in May, in spring, I wrote "The Words of Love."

(*Ways*, vol. 1:58)

Της αγάπης λόγια

Της αγάπης λόγια σαν της Άνοιξης τα φύλλα
ένας ήλιος ήρθε και μας φίλησε στα χείλια.
Πέντε παλικάρια και μια νια χορεύουν
κι η καρδιά στο στόμα.
Όμοιες σαν κλωνάρια ανθισμένα με μια χάρη
πέντε αγάπες σμίγουν και φιλούνε το χορτάρι.

Έρως και θάνατος, 1946

The Words of Love

The words of love like the Spring leaves
a sun came and kissed us on the lips.
Five young lads and a girl dancing,
hearts in their mouths.
Like branches blossoming with grace
five loves mingle and kiss the grass.

Love and Death, 1946

Ερωτικό τραγούδι

Όλη η σκέψη μου είναι έν' ανθισμένο κλωνάρι αμυγδαλιάς
κρεμασμένο στο παράθυρό σου.
Η φωνή μου σου μιλά με χίλια χρώματα και με χίλιες
μυστικές ανταύγειες, κι όμως εσύ μένεις βυθισμένη
στο όνειρο της ζωής σου που ιλαρύνεται
από μια φλόγα ευδαιμονίας.
(Κοίταξε τα φεγγάρια που λιώνουνε μες τα δάκρυα
κοίταξε τα δάκρυα που φλογίζουνε σαν αστέρια
κοίταξε τα αστέρια που μοιάζουν με τις αμέτρητες
ελπίδες των καρδιών που η άρνηση της ζωής
τους αποκάλυψε το πεπρωμένο!)
Και μην ξυπνήσεις! Δε θα 'χεις εδώ να γνωρίσεις
τίποτα πιότερο απ' ό, τι ήδη γνωρίζεις
αφού κι ο πόνος ακόμα που σημαδεύει μ' ένα άστρο
το σκεφτικό μέτωπο της ζωής αρνήθηκε
τον εαυτό του και γίνηκε ως κι αυτός απόψε
χαρά!

Αθήνα, 1946

Love Song

All my thoughts are a flowering almond branch
hanging at your window.
My voice speaks to you with a thousand colors and a thousand
secret shades, but you remain deep
in the dream of your life, brightened
by a blissful flame.
(See the moons that melt in tears
see the tears that flame like stars
see the stars that resemble the countless hopes
of those hearts whose denial of life
has revealed their destiny!)
And don't wake up! You'd find nothing more here
than you already know
since even pain that marks the thoughtful brow
of life with a star has denied himself
and even he, tonight, has turned
to joy!

Athens, 1946

Έτσι μύριζε το χώμα ύστερα από μια μικρή ανοιξιάτικη βροχή

Στη Μυρτώ 22.04.46

Θυμάμαι πως μου είπες μια λέξη
Κι εγώ έκοψα λίγο χορτάρι
με τις ρίζες γιομάτες από χώμα
να τρίψω την καρδιά μου να ευωδιάσει.

Σου είπα πως όταν ήμουνα παιδί
μου άρεσε να τυλίγομαι μες στο χώμα
και να μιλώ με τις μακριές σκουληκαντέρες
για τα μυστικά της γης.
Μου φέρνει η κάθε μια κι από 'να μήνυμα
κι η φωνίτσα τους χάνεται μες στο θόρυβο
που κάνουν οι λογής-λογής ρίζες
καθώς χώνονται όλο και βαθύτερα μες στη γης.
Πώς τρομάζαμε όταν έσκαγε κάποιος σπόρος
και ξεπήδαγε καινούριο φυτό...

Όχι δε μου άρεσε να κοιτάζω τ' αστέρια
μου φαίνονταν σαν πολύ μακρινά και ξένα.
Ο Ήλιος μου αρέσει πιο πολύ
ιδίως όταν το καλοκαίρι οι αχτίδες του
χορεύουν πάνω στο δέρμα μου
τραγουδώντας ένα παράξενο τραγούδι
που τα λόγια του χάνουνται τώρα
βαθειά μες στη μνήμη μου.
Τότε για πρώτη φορά σκέφτηκα
να ταιριάσω τα τραγούδια
που άκουγα όλη μέρα
σ' ένα μονάχα τραγούδι

The way the earth smelled after a small spring shower

To Myrto 22.04.46

I remember you said one word
and I picked some grass
with its roots full of earth
to rub on my heart and make it smell good.

I told you that when I was a boy
I liked to wrap myself in the soil
and speak to the long worms
about the secrets of the earth.
Each one brings me a message
and its voice is lost in the noise
made by all the different kinds of roots
as they burrow deeper and deeper into the earth.
How frightened we were when a seed burst open
and a new plant sprang out...

No, I didn't like looking at the stars,
they seemed so far away and foreign.
I liked the sun better
especially in summer when its rays
danced on my skin
singing a strange song
whose words are buried now
deep in my memory.
Then, for the first time
I thought about merging the songs
I'd been listening to all day
into a single song

που θα το λέγαμε όλοι μαζί.
Ή σκέψη αυτή δεν ήταν εντελώς δική μου.
Άκουσα να τη λέει
ένα μικρό πρασινοκίτρινο φυλλαράκι
που ξεπήδαγε κείνη τη στιγμή
μες απ' το χλωρό κλαδί της μηλιάς μας.

Την άλλη μέρα ξύπνησα μαζί με την Αυγή
κατέβηκα στα χορτάρια και κυλίστηκα
μες στις δροσοσταλίδες.
Ανατρίχιασε όλο το κορμί μου
δεν υπήρχε ούτε και το πιο μικρό μόριο
πάνω στο δέρμα μου που να μην έλεγε
κι ένα μικρό τραγουδάκι.

Τότε είπα το μυστικό μου στα χορτάρια
τα φυλλαράκια πού 'σαν κοντά
σκύψαν το κεφάλι να κρυφακούσουν
πολλές σκουληκαντέρες κατέβηκαν
χαρούμενες βαθειά σ' όλο τον κόσμο
να πουν το μυστικό μας
κάθε σταγόνα γης ήταν τη μέρα κείνη
ευτυχισμένη...

Τότε τους είπα να ξαπλώσουμε ήσυχα
περιμένοντας να βγει ο ήλιος...
Πραγματικά κάναμε με μιας
τόσο ησυχία
ώστε μπορούμε ν' ακούμε
το μακρινό τραγούδι της Αυγής
που μοιάζει σαν κοράλι
περιχυμένο με λεπτά δάκρυα πουλιών...
Τι όμορφο που ήταν εκείνο το τραγούδι.
Θα μπορέσουμε άραγε να τραγουδήσουμε

that we'd all sing together.
This thought wasn't completely my own.
I heard it said by a small golden-green leaf
which sprang out that moment
from the green branch of our conversation.

The next day I woke at dawn
went down to the fields and rolled
in the dewdrops.
My whole body shivered
and there wasn't the tiniest cell of my skin
that wasn't singing
a little song.

Then I told my secret to the grass.
The small leaves nearby
bent their heads to listen in secret,
hundreds of worms came down, happy
to tell our secret to the world.
Every drop of earth was joyful
that day...

Then I told them we'd lie down quietly
and wait for the sun to come out...
And in fact we were suddenly
so quiet
that we could hear
the distant song of Dawn
that is like coral
shed by the delicate tears of birds...
How beautiful that song was.
I wonder if we'll be able to sing

έτσι όμορφα και μεις;

Όχι δε μου αρέσει τώρα πια το τραγούδι της γης.
Οι ρίζες σχίζουν το χώμα παράφωνα
κι οι αχτίδες φωνάζουν με ορμή και μανία.
Εμένα τώρα μου αρέσει το τραγούδι της Αυγής.
Όταν το ακούω νομίζω πως βρίσκομαι
στο δάσος με τα κοράλια περιχυμένα
από λεπτά δάκρυα πουλιών
μέσα στη γαλανή ανταύγεια του πρωινού.

Τα χορταράκια, τα φύλλα και τα σκουλήκια
μ' απλώνουν σα λυγμό τα χέρια
και μου φωνάζουν παρακαλεστά
«Μείνε, σε λίγο θα βγει κι ο ήλιος
να τραγουδήσουμε μαζί.»
Μπορώ όμως να μείνω μακριά
απ' το τραγούδι της Αυγής;

Για πρώτη φορά σκαρφαλώνω τη μάντρα
του κήπου μας κι ένοιωσα
σαν το φυτό που το τραβούν από τη γης του.
Βρέθηκα τότες μέσα σε άγνωστους δρόμους.
Στα μάτια μου όμως μπροστά τρεμοπαίζει
η ρόδινη ανταύγεια κι ήμουν ευτυχισμένος
που σε λίγο η επιδερμίδα μου θα λούζονταν
μέσα σε κείνο το εξαίσιο τραγούδι.

* * *

Καθώς βλέπεις, δεν είμαι τώρα πια παιδί
κι όμως ακόμα δεν κατόρθωσα να φτάσω
τ' όμορφο κείνο τραγούδι.
Είμαι σχεδόν μετανοιωμένος

as beautifully as that?

No, I don't like the song of the earth any more.
The roots tear the earth discordantly
and the sun's rays shout, fierce and furious.
Now I like the song of the Dawn.
When I hear it I think
I am in a forest with corals scattered
by the delicate tears of the birds
in the peaceful glow of morning.

The little plants, the leaves and the worms
stretch out their hands to me like a sob
and call me, pleading:
"Stay, the sun will soon come out
and we can sing together."
But can I stay far
from the song of Dawn?

For the first time I climbed the wall
of our garden and I felt
like a plant pulled from its soil.
Then I found myself in strange streets.
But the rosy glow shimmered
before my eyes and I was happy
that in a little while my skin would be bathed again
in that wonderful song.

* * *

As you see, I'm no longer a child
and yet I still haven't managed
to reach that lovely song.
I almost regret

που άφησα τη μισή μου καρδιά
χωμένη μες στη γης.
Φοβάμαι αν θα με ξαναδεχτούν
οι αγαπημένοι μου φίλοι
κι αν θα με γνωρίσει η καρδιά μου
που τώρα πια θα 'χει γίνει κι αυτή
ίσως λίγη χλόη
ίσως ένας μικρός θάμνος
με λίγα κόκκινα λουλουδάκια περιχυμένα
με λεπτές δροσοσταλίδες.
Θα ήθελα τόσο να ξαναγυρίσω στη γης.
Πόσα τραγούδια αλήθεια θα ξαναπούμε...
Και τώρα που 'ρχεται το καινούριο καλοκαίρι
θα περιμένουμε τον ήλιο
να του πούμε πια το μυστικό μας
και να πραγματοποιήσουμε
το παλιό μας το όνειρο.

Αθήνα, 11.02.1946

that I left half my heart
buried in the earth.
I worry whether my dearest friends
will accept me again
and whether my heart will recognize me
now that it, too, may have become
a little piece of grass
perhaps a small bush
with a few red blossoms dotted
by delicate dewdrops.
I would love to go back to the earth.
How many songs will we really sing again...?
And now the new summer is coming
we'll wait for the sun
to tell it our secret
and make our old dream
come true.

Athens, 11.02.1946

Αυτά τα εξαίσια μάτια

Προσπαθώ να παραλληλίσω
την έννοια της θάλασσας με την έννοια της αγάπης.
        Αυτό το πέλαγος
μοιάζει σαν να 'χει ανατριχιάσει από το πόθο μου.
        Θέλω να βρω μια βάρκα να ταξιδέψω.
Να γνωρίσω τις χώρες που κρύβονται πίσω από τον ορίζοντα
        τις σκέψεις που κρύβονται πίσω από τα μάτια σου.
Αυτά τα εξαίσια μάτια.

Αθήνα 1946

Those Amazing Eyes

I try to compare
the meaning of the sea with the meaning of love.
This ocean
appears to be trembling with my desire.
I want to find a boat to sail in,
to discover the places hidden behind the horizon,
the ideas hidden behind your eyes,
those amazing eyes.

Athens, 1946

Μικροί νάρκισσοι

Το στήθος μου επλάτυνε πολύ για να χωρέσει
το μικρό γιασεμί που έσπειρες
με τα μικρά σου δάχτυλα τούτη τη νύχτα
στη καρδιά μου.
Δε σ' έβλεπα διόλου —
δεν μπορούσα να σε διακρίνω
μέσα στο τόσο σκοτάδι.
Τα μάτια σου όμως ένιωθα
σ' όλο μου το δέρμα να με διατρέχουν
και μπορούσα να μαντέψω ακόμα
τους μικρούς Νάρκισσους πεσμένους
πάνω στο πρασινογάλαζα νερά τους.

Αθήνα 1946

Little Narcissi

My chest expanded
to hold the small jasmine
you sowed tonight with your small fingers
on my heart.
I didn't see you at all —
I couldn't make you out
in such darkness.
But I felt your eyes
running over my entire skin
and I could even sense
the little narcissi fallen over
on their blue-green water.

Athens, 1946

Ημιτελής του Σούμπερτ

Τρία αναποδογυρισμένα φεγγάρια
σε μια χούφτα νερό.
Τσακισμένο καράβι γεμάτο
κορυδαλλούς και βιολέτες.
Πέρασα μπροστά σου κι εσύ ήσουν
η χθεσινή βροχή.
Θα 'ρθω να σε βρω κρατώντας
μια χορδή τεντωμένη στο χέρι.
Ονομάζομαι Φαίδων.

Δεν έχω τίποτ' άλλο
έξω απ' το κουρελιασμένο μου μανίκι.
Δεν υποφέρω πια τη φωνή των πουλιών.

Αθήνα 1946

Schubert's "Unfinished"[2]

Three capsized moons
            in a handful of water.
A broken boat full
            of larks and violets
I passed you and you were
            yesterday's rain.
I'll come and find you holding
            a taut string in your hand.
My name is Phaidon.

            I have nothing more
beyond my raveled sleeve.
I no longer suffer the voice of the birds.

Athens, 1946

2 In the spring of 1945, Theodorakis began to attend lectures at a secret Marxist school in Ermou Street run by the communist youth organization EPON. Hearing the sound of Schubert's music coming from a nearby radio "I let my soul fly like a red balloon. I was intoxicated by the heights and beauty of it." He announced to his teacher that he could not become a political leader. He wished to concentrate on his music. Phaidon was the name of Myrto's fiancé, a resistance fighter who was killed in the war.

Αν γυρεύεις απ' τον ήλιο τη χαρά

Αν γυρεύεις απ' τον Ήλιο τη χαρά
κι απ' των άστρων το δειλό το φως τη γαλήνη
μη μακραίνεις την καρδιά σου απ' τη δική μου
που διψά για φως.

Σαν τον ήλιο π' όλο σβήνει κι όλο ζει
θ' αρμενίζουν οι καρδιές μας μέσα στη γαλήνη.

Αν γυρεύεις απ' τον Ήλιο τη χαρά
κι απ' των άστρων το δειλό το φως τη γαλήνη
μη ζητήσεις να βρεις φως μακριά από μένα
θα 'μαι σαν νεκρός.

Ας γυρέψουμε αντάμα τη χαρά
πιο πολύ κι από τ' αστέρια μες στον έρωτά μας.

If You Seek Happiness from the Sun

If you seek happiness from the sun
and tranquility from the cowardly light of the stars
you distance your heart from mine
which yearns for light.

Like the sun, that keeps going out but stays alive
our hearts will sail in tranquility.

If you seek happiness from the sun
and tranquility from the cowardly light of the stars
don't seek to find light far from me;
I'll be like a dead man.

Let's seek happiness together
more than from the stars, in our love.

Ποιήματα εξορίας – Ικαρία

Poems of Exile – Ikaria

...The local organization of EAM tells us which houses are available. The village [of Vrakades] *is built on the sides of the mountain which form a huge natural amphitheater. Some houses are near the center. Others far away and high up, nearly half an hour's walk away. Some are in good condition. Others are in ruins. Some will hold two people and others twelve....(Ways, vol 2:105)*

When they had taken care of their basic needs and repaired the houses, the exiles were able to write to their families and have them send food, clothing, books, and in Theodorakis's case, musical manuscript. He began to compose again, and inspired by the local music, began his ballet suite *Greek Carnival.* One night he suggested to his friends that they compose a song together. To encourage them, he began, "Seas surround us..."

.... 'Waves close us in' says another. Each one finds another line, and in the end we choose the best. The next day I took the verse and went to the rock [to write down the verses and music]. *In the evening we sang our new song.*

Θάλασσες μας ζώνουν

Θάλασσες μας ζώνουν
κύματα μας κλειούν
σ' άγριους βράχους πάνω
τα νιάτα μας φρουρούν.

Στείλαν του λαού μας
τ' άξια παιδιά
για να τα λυγίσουν
σε δεσμά βαριά.

Στων φρουρών το πείσμα
θα σταθούμε ορθοί
στις καρδιές ατσάλι
φλόγα στη ψυχή.

Μάνα, μη στενάζεις
μάνα, μη θρηνείς
τώρα πέφτουν οι θρόνοι
και τραντάζει η γης.

Η αυγή χαράζει
πάνω στα βουνά
ο εχθρός λουφάζει
φτάνει η λευτεριά.

Χτυπάτε τους, αδέρφια
χτυπάτε δυνατά
σαν χτυπάει ο Μάρκος
σειέται γη, στεριά.

Ικαρία, 1947

Seas Surround Us

Seas surround us
waves close us in,
on the wild rocks
they guard our youth.

They sent the best
of our country's young men
to wear them down
with heavy bonds.

We'll stand up
to the guards' spite
steel in our hearts
fire in our soul.

Mother, don't sigh,
mother, don't lament,
the thrones are falling now
and the earth trembles.

Dawn is breaking
on the mountain,
the enemy cowers;
freedom has come.

Strike them brothers
strike hard.When Markos[3] strikes
the earth shakes, the land.

Ikaria, 1947

---

3 Markos: a reference to Markos Vafiadis, leader of the Democratic Army (ELAS) during the Resistance.

Νυχτερινό τραγούδι

Κι ενώ ακόμα ήσουνα στο Φως
η νύχτα ξαγρυπνούσε στο πλευρό σου…
και μάνιαζαν απάνωθέ σου οι άγρι' ανέμοι
όταν η ραγισμένη ακόμα μελωδία της Γαλήνης
σε σιγοκοίμιζε γλυκά γλυκά…

Ικαρία, 1947

Night Song

And while you were still in the Light,
night stayed awake beside you...
and the wild winds raged above you
when the still torn melody of Calm
lulled you to sleep, ever so sweetly...

Ikaria, 1947

Το σπίτι με τους σκορπιούς
(Σημειωματάριο εξορίας)

*Ά

Ο καθένας θα 'χει βρεθεί σε παρόμοιες στιγμές. Υπάρχουν δεσμίδες από ζεστές επικλήσεις. Πράσινες, κίτρινες, μωβ, που ανεβαίνουν από κάθε φυτό. Η θάλασσα φυσά θυμωμένα είτε ήρεμα, τις τυλίγει και τις διευθύνει ψηλά στο υπομονετικό μας σπίτι. Θά 'πρεπε να σας μιλήσω γι' αυτό το σπίτι. Η έκφρασή του αντανακλά τις πτυχές των βασανισμένων βουνών. Έχει κάτι από το συρτό θρήνο.

*Β

Ευθύς εξ αρχής θα διακρίνει κανείς το τείχος των δέντρων που τυλίγονται ολόγυρά του με φροντίδα και στοργή. Υπάρχει ανάμεσά τους η απόσταση των ισοδύναμων ανθρώπων, η απόσταση ανάμεσα σε δυο όμοιες αχτίνες που κατευθύνονται από το βάθος της θάλασσας προς δύο απομονωμένους γλάρους.

*Γ

Με πέντε βήματα αγγίζεις από τη ρίζα των δέντρων τις ξασπρισμένες πέτρες που υποβαστάζουν την υπομονή και τα όνειρα του σπιτιού μας. Το χαμόγελό του είναι πάντα βεβιασμένο. Η γνώση του τροχίζεται απ' τους σκορπιούς και το βορινό άνεμο που φοβισμένος το παρακάμπτει συχνά όταν μέσα στις νύχτες του Δεκεμβρίου αλληθωρίζει προς την απέραντη θάλασσα με τα μάτια πύρινα και προκλητικά.

The House with the Scorpions (Notebook of Exile)

A

Everyone must have found themselves at similar moments. There are reams of warm appeals. Green, yellow, mauve, they rise from every plant. The sea blows angry or calm, wraps them and sends them high up to our patient house. I must speak to you about this house. Its expression reflects the wrinkles of the tortured mountains. It has something of the long-drawn-out lament about it.

B

One could immediately make out the wall of trees that wrap it around with care and affection. Between them is the distance of people of equal strength, the distance between two similar rays that are directed from the depths of the ocean towards two isolated gulls.

C

Five steps from the roots of the trees you touch the whitewashed stones that support the patience and dreams of our house. Its smile is always assured. Its knowledge is sharpened by the scorpions and by the north wind that often skirts it in fear on December nights when it squints at the boundless sea, its eyes fiery and provocative.

*Δ

Έπειτα απο ένα συγκρατημένο και ήρεμο όνειρο ξύπνησε αντικρύζοντας την καταματωμένη θάλασσα ως τις ρίζες της γης. Αναταράχτηκε από τις χιλιάδες λεπτές και φευγαλέες μυρωδιές που κυνηγιούνται με τις πεταλούδες και τις μέλισσες πάνω στο κάτασπρο σεντόνι του Ήλιου. Ήταν καιρός να εξακοντίσει την πρώτη του σκέψη προς το στερέωμα που το συγκρατούσε στο χώμα με συγκατάβαση και ειρωνία. Ίσως να μη γνώριζε που το πλοίο μας διέσχιζε ήδη το Αιγαίο κι ακόμα πως πριν γεννηθούν οι μητέρες μας είχε αποφασιστεί ο ερχομός μας εδώ ψηλά.

*Ε

Δυσκολευτήκαμε να καταλάβουμε το βεβιασμένο του χαμόγελο καθώς και την παράξενη συνήθεια να προσκαλεί τ' αδέσποτα σύγνεφα που τριγυρίζουν ψαχουλεύοντας στο λόγγο και τις πλαγιές του βουνού. Έτσι δυσκολευόμαστε να διακρίνουμε τα μάτια μας, δυσκολευόμαστε να προσαρμοστούμε σ' αυτή την απότομη και βάρβαρη μεταλλαγή ανάμεσα στο φως και την πάχνη, στο κύμα και τη συρτή φωνή που εξακοντίζεται τόσο συχνά προς το δυτικό Αιγαίο. Χάνουμε έτσι το πρόσωπό μας καθώς γινόμαστε ένα με τα παράξενα όνειρά του που ενώ έχουν αγκυροβολήσει στις σφραγισμένες εποχές προεκτείνονται προς τα μακρινά σημεία που ειρωνεύονται τους κύκλους και τις επανόδους.

*ΣΤ

Υπάρχει εν τούτοις κάτι που ενώ δεν τραβά σε δένει σφιχτά.
Νομίζεις ότι προεκτείνεσαι διαρκώς προς τα μπρος ενώ
τα ίχνη σου μπλέκονται μες στις ρίζες των θάμνων που σε
περικυκλώνουν με θανάσιμη χαρά.
Θα 'ρθει και για σένα η όμορφη εποχή!

D

After a restrained, calm dream, he woke, confronting the sea, bloodied to the roots of the earth. He was disturbed by the thousands of delicate and fleeting smells chasing each other together with the butterflies and bees over the Sun's pure white sheet. It was time to hurl his first thought towards the firmament which pinned it to the earth with condescension and irony. Maybe he didn't know that our boat was already crossing the Aegean and that even before our mothers were born, our coming up here had been decided on.

E

We had trouble understanding its assured smile as well as its strange habit of summoning the stray clouds that move about, groping in the thickets and on the slopes of the mountain. And so we had trouble discerning our own eyes, we had trouble getting used to this sudden and violent transformation between the light and the hoarfrost, to the waves and the drawn-out voice that launched itself every so often in the direction of the western Aegean. This is how we lose our personality as we become one with the strange dreams which, although they have anchored themselves in sealed centuries, reach out towards the distant points that mock the circles and the returns.

F

In any case there is something which, although it doesn't attract you, binds you tightly. You think you are continuously extending forwards while your footprints become tangled in the roots of the bushes that surround you with deathly joy.
The beautiful season will come for you too!

*Ζ

Θα πρέπει τώρα να σας μιλήσω για τις χαρές και τους θυμούς του. Την ήρεμη αφήγηση κάτω απ' το θόλο των κουμαριών. Τον τελείως απόκρυφο έρωτά του για την νοτιοανατολική πηγή. Τη νοσταλγία των ξασπρισμένων του τοίχων που ήταν συνηθισμένοι ν' αγναντεύουν προς το Αιγαίο τους κουρσάρους καθώς γύριζαν ανήσυχοι τα κεφάλια για να χαιρετήσουν με σεβασμό και φόβο. Προ παντός όμως η φροντίδα του από αιώνες ήταν αυτός ο ατέλειωτος κι ανώφελος αγώνας που γίνεται μέσα του ανάμεσα σ' ό,τι υπήρχε και σ' ό,τι ήρθε.

*Η

Αυτή την ώρα ο ορίζοντας εξαφανίζεται κάτω από την πίεση του ουρανού και το ανέβασμα της θάλασσας. Υπάρχει διάχυτο στην ατμόσφαιρα το αίσθημα της κατανόησης. Στα μικρά σύγνεφα που ταξιδεύουν προς τον ήλιο αντιμάχονται η αγάπη με το μίσος. Σε λίγο το φως θα ισομοιραστεί εφ' όσον ο ήλιος εξαλείψει τις σκιές και τους ενδοιασμούς που τον οδηγούν στην οδυνηρή και χιλιοτραγουδισμένη του πτώση. Η τελευταία αχτίνα οδηγείται προς τον γνώριμο δρόμο του σπιτιού μας. Τη δεχόμαστε ήρεμα δίχως φωνές. Θα συνομιλήσουμε όλη τη νύχτα μαζί της. Θα ονειρευτούμε μαζί.

*Θ

Υπάρχει μια αναγκαιότητα που διανοίγει ανάμεσα στα σύννεφα μακρύ και ανήσυχο δρόμο. Απ' αυτόν θα περάσουν οι σκέψεις του σπιτιού μας, οι σιωπηλές του έγνοιες για κάθε τι που πιστεύει στη ζωή. Όλοι απορούν για το βάθος του βλέματός του. Ξεσκίζει κατάβαθα τους σκλάβους της Νότιας Αφρικής όπως και τα αιχμάλωτα θηρία των ζωολογικών κήπων της Ευρώπης. Από κει πάλι έρχονται αγκαλιασμένα τα όνειρα του κόσμου με ανοιχτά και βρώμικα τραύματα. Μπορεί κάθε στιγμή

G

Now I must speak to you about its joys and its anger. The calm story-telling in the shade of the arbutus trees. Its completely mysterious love for the south-eastern spring. The nostalgia of its whitewashed walls that were once used for looking out across the Aegean at the pirates, as they would turn their heads uneasily to greet it with respect and fear. Above all, though, its main concern over the ages was that endless and pointless struggle going on inside it between what existed and what came.

H

At this hour, the horizon disappears under the pressure of the sky and the rising of the sea. There is a feeling of understanding that spreads through the air. Love and hate combat one another in the small clouds that travel towards the sun. In a little while the light will be shared equally, as the sun obliterates the shadows and the scruples that led it towards its painful and storied fall. Its last ray is directed towards the familiar road to our house. We accept it calmly, without shouting. We'll speak to it all night. We'll dream together.

I

There is a necessity that opens a long, uneasy path between the clouds. Along this path the thoughts of our house will pass, its silent concerns about everything that believes in life. Everyone is surprised by the depth of its gaze. It tears deep into the slaves of South Africa, as it does into the imprisoned animals of the zoological gardens of Europe. From there, arm in arm, the wounded dreams of the world are returning with their dirty, open sores. At any moment

να δεις την ατέλειωτη φάλαγγα που κάνει τους σκορπιούς να αναδιπλώνονται με ανατριχίλα..

*Ι

Βλέπετε πως όλο παρασύρομαι απ' αυτήν την αργυρή αντανάκλαση που μου δίνει την αυταπάτη πως είμαι αδερφός των σκορπιών, παιδί των τοίχων και των στοχασμών του σπιτιού μας. Σας υποσχέθηκα να σας μιλήσω για τις χαρές και τους θυμούς του.

*Κ

Σήμερα η μέρα ήρθε αθόρυβα. Το φως κλιμακώνεται στην ήρεμη θάλασσα σχηματίζοντας μια φωτεινή σκάλα που συνεχίζεται απ' τις γραμμές του ορίζοντα. Θα μπορέσω ίσως να τοποθετήσω δίπλα δυο σκέψεις που να έχουν το θάρρος να αλληλοκοιταχτούν στιγμιαία στα μάτια; Όμως αυτή η ησυχία μου επιτρέπει ν' ακούω τον παράξενο σάλο που γίνεται εντός μου... Όσο κι αν θέλω να το ξεφύγω είμαι παιδί των στοχασμών του, είμαι αδερφός των σκορπιών του. Δεν ανέχεται μέσα μου αυτό που υπάρχει εκείνο που έρχεται.. Πώς θέλετε λοιπόν ν' αρνηθώ τη γενιά μου, να επιτρέψω να δώσουν τα χέρια που τρέμουν από το μίσος, να κοιταχτούνε στα μάτια που χάνονται απ' το ακόρεστο πάθος, ν' αγκαλιαστούνε κραυγές που ξεσκίζονται απ' την ανατριχίλα; ΕΧΘΡΟΙ ΜΕ ΕΧΘΡΟΙ;

*Λ

Το βράδυ καθόμαστε κι αγναντεύουμε τη θάλασσα. Τραγουδάμε σιγά... Συχνά σιωπούμε κοιτάζοντας κάτω. Μας στεναχωρεί αυτή η συνεχής παρακολούθηση. Θέλουμε πολύ να μείνουμε μια στιγμή μόνοι με συντροφιά μας μονάχα τους σκορπιούς και τους τοίχους.

Ικαρία, 1947

you can see the endless convoy that makes the scorpions curl up in terror.

J

You see how I keep being drawn away from this silver reflection that gives me the illusion I am the brother of the scorpions, child of the walls and intentions of our house. I promised to tell you about its joys and rages.

K

Today the morning came silently. The light spreads on the calm sea forming a bright staircase that extends from the lines of the horizon. Perhaps I could place beside it two thoughts that have the courage to look each other momentarily in the eye? But this calm permits me to hear the strange tumult going on inside me....However much I want to escape, I am a child of its purpose, the brother of its scorpions. What exists within me can't abide what's coming. So how do you want me to deny my generation, to permit the hands that tremble with hatred to shake one another, eyes that are lost in insatiable passion to look at each other, cries that are rent by terror to embrace one another? ENEMIES WITH ENEMIES?

L

In the evening we sit and watch the sea. We sing softly...Often we fall silent, looking down. It saddens us, this continuous observation. We want very much to stay for a moment alone with the scorpions and the walls our only company.

Vrakades, Ikaria, 1947

Δεύτερη εξορία
Ικαρία – Μακρόνησος, 1948-1949

The Second Exile
Ikaria – Makronisos, 1948-1949

Ελεγείο

για τον Αγαμέμνονα Δάνη

Χίλια ζευγάρια χέρια ν' ανεμίζουν υψωμένα
και να σβήνονται στ' απόβραδο
κι εσύ, χαμένε σύντροφε,
να χαιρετάς και να γκαρδιώνεις, καθισμένος
στο γόνα του ήλιου.

(Σιωπή γερμένη με λυμένα μαλλιά —
πάνω στην βαθειάν ανάσα της γης
κάτω από τα λιόδεντρα κραυγή
που ξεχάστη θρηνώντας).

Απ' την απόμακρη Χίο στο Πετροπούλι
κι απ' την Ασία στον Αϊ-Λια
νοιώσαμε τον ουρανό να σκύβει
και να φιλά την πληγή μας
κι ήσουν, χαμένε σύντροφε
χίλια πουλιά να πετούν
προς το Νότο!

Κι ήρθαν κοπέλες απ' τη Δάφνη
κι απ' το Στελί μανούλες πικραμένες
απ' την Αρέθουσα και τους Βρακάδες οι μαυροφόρες
κι απ' τον Αρμενιστή γερο-ψαράδες ήρθαν
μ' αλατισμένη την καρδιά στο κύμα και στα δάκρυα.
Και κάθισαν ολόγυρά σου, χαμένε σύντροφε,
και κάθισαν ολόγυρά μας
ν' αρχινήσουν ψιλό μοιρολόι.
Τ' ήσουν ο στεναγμός ενού Λαού
το φτεροζύγισμα ενού γύπα
που χιμάει!

Δάφνη, Ικαρία, Ιούνης 1948

Elegy

For Agamemnon Danis

A hundred pairs of raised hands waving
and disappearing in the dusk
and you, lost comrade, greet and hearten them,
seated on the sun's knees.

(Silence stooping with loosened hair —
above the deep sigh of the earth;
under the olives a forgotten, lamenting cry).

From far-off Chios, in Petropoulis
and from Asia at Ai Lia
we felt the sky bend
and kiss our wound
and you, lost comrade,
were a thousand birds
flying South!

And girls came from Daphne
and from Steli, bitter mothers;
from Arethousa and Vrakades, folk in black,
and from Armenisti came old fishermen
with hearts salted by sea and tears
and they sat all round us
and a shrill lament began.
And you were the sigh of the people
the wing-beat of a vulture
that pounces!

Daphne, Ikaria, June 1948

ΟΣΤΡΙΑ

(Έχομε πιά τόσο σκληρύνει
κομάτια σταχτοπράσινα βράχια
[illegible] μεγαλίδες και φύκια [illegible])

μετούσε ολοστρόγγυρά μου ένα τραγούδι
η μυρωδιά του κορμιού σου
λίγο πιό πάνω λίγο πιό κάτω
σχεδόν ένα με το γαλάζιο αγέρα
[illegible]

(να τώρα θα γυρίσω να δω τους ανοιξιάτικους δρόμους
τον καπνό να μπερδεύεται στα [illegible] συνεφάκια
[illegible] της δύσης
[illegible])

είναι αλήθεια τα μάτια σου [illegible]
σα τις μέρες που με το πράσινο [illegible]
χανόσουν στο μεγάλο λιμάνι
πόσο μου φαίνεται σα νάταν χτες
σα νάταν αιώνες σα να μην υπήρξαν ποτέ

είμαι περικυκλωμένος σχεδόν λεύτερος

με δείχνουν τα γυμνά κλαδιά της σκιάς
τις νύχτες με τόνομά σου
οι ταραγμένες ρίζες της με καλούν
Όστρια όστρια
κάθε πρωί με παραμονεύει μπροστά στην πόρτα μου
με τα [illegible] μαλλιά της ριγμένα στους ώμους

Manuscript of opening stanzas of "South Wind".

There were three jeeps full of prisoners. As soon as I saw my mother, my father and Myrto, I thought my heart was going to break. The police had formed a cordon and pushed them back roughly so they wouldn't approach us...My mother was crying. Myrto shone in the May light. She was wearing a green sweater that stood out from the colorless clothes of the crowd. Finally, for a moment, time stopped. We remained alone. She and I.

(*Ways*, v. 2)

Όστρια

Έχουμε πια τόσο σκληρύνει
κομμάτια σταχτοπράσινα βράχια
πεταλίδες και φύκια γιομάτα
πετούσε ολοτρόγυρά μου ένα τραγούδι
η μυρωδιά του κορμιού σου
λίγο πιο πάνω λίγο πιο κάτω
σχεδόν ένα με το γαλάζιο αγέρα.
Να, τώρα θα γυρίσω να δω τους ανοιξιάτικους δρόμους
τον καπνό να μπερδεύεται στα λευκά συννεφάκια
της δύσης
το μικρό μας περιβόλι με τους μεγάλους ήλιους...

Είναι αλήθεια τα μάτια σου πάντα μεγάλα
σα τις μέρες που με το πράσινο πουλόβερ
χανόσουν στο μεγάλο λιμάνι;
Πόσο μου φαίνεται σα να΄ταν χτες
σα να 'ταν αιώνες σα να μην υπήρξαν ποτέ.

Είμαι περικυκλωμένος σχεδόν λεύτερος
με δείχνουν τα γυμνά κλαδιά της συκιάς
τις νύχτες με τ' όνομά σου
οι ταραγμένες ρίζες της με καλούν
Όστρια Όστρια
κάθε πρωί με παραμονεύει μπροστά στην πόρτα μου
με τα εβένινα μαλλιά της ριγμένα στους ώμους
πώς μπορώ μονάχα να σε ξεχνώ τόσο τέλεια
σα να μην υπάρχεις
σαν να μην υπάρχει τίποτ' άλλο περ' από σένα...

* * *

South Wind

We've grown so hard,
pieces of ash-green rock
covered in barnacles and seaweed;
all around me flew a song,
the smell of your body
a little higher, a little lower,
almost one with the azure air.
Look, now I'll come back to see the spring roads
the smoke merging with the little white clouds
of sunset
our small garden with its enormous suns...

Are your eyes really as large as they were
on the days when you disappeared
in your green sweater, in the big harbor?
How it seems to me as if it were yesterday
as if it were centuries, as if they never existed.

I am surrounded, almost free;
at night the bare branches of the fig tree
point to me with your name
the shaken roots call me
Ostria, South Wind
every morning she's waiting for me outside my door
with her ebony hair thrown over her shoulders.
How can I only forget you so completely
as if you didn't exist
as if nothing existed beyond you....

* * *

Έχω την αίσθηση του ήλιου
καθώς χαϊδεύει τα κουρασμένα μέτωπα
Πώς να συνηθίσω τον πυρετό των ματιών;
Οι θάλασσες ζώνουν μόνο τις καρδιές μας
δεν υπάρχουν νησιά μοναξιά δεν υπάρχει.

* * *

Πώς μπορώ να ξεχνώ τόσο πολύ τον εαυτό μου
να γίνομαι τόσο πολύ ο εαυτός μου...

Απ' το ψηλό φορτηγό πλοίο πίσω χανόσουν
καθώς γλιστρούσαμε στο μεγάλο λιμάνι
που βούλιαζε καταπράσινο στα μεγάλα σου μάτια.

Πώς να φωνάξω που δε το θέλω
χανόμουν από κάθε σκέψη από κάθε θύμηση
δεν υπήρχα παρά στη φαντασία σου
παρά στη φαντασία μου που δεν υπήρχε πια.

Και θυμάμαι τώρα τα στερνά κόκκινα γαρούφαλα
στο μενεξί χαλί τ' ουρανού
μες στις χιλιάδες λάμψεις κάποιο φως
θα προστατεύει τώρα τις σιγανές φωνές της μνήμης σου
(στη βεράντα του κήπου ο μπαμπάς σου διαβάζει
την απογευματινή του εφημερίδα)

* * *

Σπέρνω τον εαυτό μου στο χαντάκι της θάλασσας
σ' όποιες ακτές σ' όποιους ήλιους
η αλυσίδα μου μου μένει μόνη από μένα
δεν έχω σύνορα
σ' όποιους ήλιους σ' όποιους ανέμους

I feel like the sun
as it caresses tired brows.
How can I get used to the fever of the eyes?
The seas encircle only our hearts,
there are no islands, no loneliness.

* * *

How can I forget myself so much,
become so much myself...?

You disappeared behind the tall freighter
as we glided into the big harbor
that was sinking, bright green, in your big eyes.

How to cry out when I don't want to?
I was lost from every thought, every memory
I didn't exist except in your imagination
except in my imagination where I didn't exist any more.

And now I remember the last red carnation
in the violet carpet of the sky
among the thousands of shining points some light
must be protecting the quiet voices of your memories
(on the garden verandah your father is reading
his afternoon newspaper).

* * *

I sow myself in the trench of the sea
on whatever shores, whatever suns
my chain remains apart from me
I have no boundaries
to whatever suns, whatever winds

Όστρια Όστρια
Στα κουρασμένα μέτωπα — στην αίσθηση του ήλιου
στο βαθύ πόνο της φύσης — στον πυρετό των ματιών
στην ολοπράσινη σημαία των ανθρώπων!

Εύδηλος, Ικαριά, 1949

South Wind, South Wind
to the tired brows — to the feeling of the sun
to the deep pain of nature — to the fever of the eyes
to the bright green flag of humanity!

Evdilos, Ikaria, 1949

Ό,τι κι αν πεις

Μη σκέφτηκες τάχα πως έτσι για γούστο μου και μόνο
καμώνουμε το ζαβό και τον γκρινιάρη;
Χωρίς κάποιο μυστικό νόημα να κάθουμαι τη νύχτα μες στην
παγωνιά
και να μετρώ σαν ψείρες τ' αστέρια... Τι λες;
Δε σου κόβει πως κάποια μυστική αιτία θα πρέπει να υπάρχει
σ' όλα τούτα τα τόσο παράξενα, τα τόσο μαύρα;
Μη μου πεις, να σε χαρώ, πως έτσι τυχαία βαλθήκανε
να γλείφουνε και να γλείφουνε σα ψωριάρικα σκυλιά
το ξεραμένο αίμα του Φεντερίκο Γκαρθία Λόρκα.

Κι έπειτα μου λες τι κάθομαι και κάνω ολομόναχος
πλάϊ στα ποτάμια και τις μαούνες.
Φεντερίκο Γκαρθία Λόρκα, Φεντερίκο Γκαρθία Λόρκα
Να που πάλι ζυγιάζουμε τις καρδιές
να που πάλι βάζουμε σε μπουκαλάκια τα αίματα.
Εδώ οι τάφοι των εμπόρων
τα μαυσωλεία με τα χρυσά γράμματα —
το πλήθος σκόρπιο θαμένο στους μπαξέδες
κάτω απ' τα καρότα και τα πράσα
Φεντερίκο Γκαρθία Λόρκα, Φεντερίκο Γκαρθία Λόρκα
νυστέρι στην καρδιά της νύχτας, καρδιά μεγάλη σαν περιστέρι
— ό,τι κι αν πεις
μα έξω μουρμουρίζω τ' όνομά σου αδερφούλη μου
— ξεχασμένε μικρέ μου αδελφούλη
χαμογέλιο γλυκό κι ανάερο, ψηλή λιγνή μου λεύκα
— ό,τι κι αν πεις.

Χανιά, Κρήτη, 1951

Whatever You Say

Did you think perhaps that it was only to please myself
that I acted the oaf and the grouch?
That I sit here at night for no hidden reason
in the freezing cold
counting the stars like lice... What do you say?
Didn't it occur to you that there must be some secret reason
for all this strangeness, for so much blackness?
Don't tell me, to please you, that it was by chance they began
licking and licking the dried blood
of Federico Garcia Lorca like mangy dogs.
And then you tell me to sit and do something all alone
beside the rivers and the barges.
Federico Garcia Lorca, Federico Garcia Lorca.
Look how we're weighing hearts again
and putting blood again in little bottles.
Here the tombs of the businessmen
the mausoleums with their gold letters—
the masses scattered, buried in gardens
under the carrots and the leeks.
Federico Garcia Lorca, Federico Garcia Lorca.
Scalpel in the heart of night, a heart as large as a dove
—whatever you say
but I murmur your name, little brother
—my forgotten little brother
sweet ethereal smile, my tall slim poplar
—whatever you say.

Chania, Crete, 1951

Γυρισμός στη πηγή – Αθήνα, 1960-1967

Return to the Source – Athens, 1960-67

Αρχιπέλαγος

Παλικάρι

Κλαίνε τα δέντρα κλαίνε τα σύννεφα κι οι φίλοι σου κλαίνε
Παληκάρι στη δουλειά στο σπίτι παληκάρι
μίλαγες κι η γειτονιά μας γέμιζε πουλιά.
Άπλωνες το χέρι σου κι έκοβες το φεγγάρι
πώς σ' έκοψε σαν λούλουδο ο Χάρος μια νυχτιά.

Κλαίνε οι τράτες κλαίνε τα κύματα κι οι φίλοι σου κλαίνε.

Παληκάρι στα κουπιά στο γλέντι παληκάρι
οι κοπελιές κεντούσανε για σένανε κρυφά
κεντούσανε τα όνειρα, τον ήλιο, το φεγγάρι
κεντούσαν την αγάπη τους, της βάζανε πανιά.

Κλαίνε οι ναύτες κλαίνε τα σήμαντρα κι οι φίλοι σου κλαίνε.

Παληκάρι η μάνα σου τυλίχτηκε στα μαύρα
τους φίλους σου τους τύλιξε φουρτούνα, συννεφιά
το λιμανάκι ερήμωσε κι η θάλασσα ερημώθη
κι ο ήλιος εκαρφώθηκε και δε σαλεύει πια.

1959-60

Archipelago[4]

Brave Lad

The trees weep, the bells and your friends weep.
Manly at work, manly at home
you spoke and our neighborhood was full of birds.
You stretched out your hand and plucked the moon
just as Death plucked you like a flower one night.

The fishing boats weep, the waves and your friends weep.

A stalwart at the oars, a fine fellow at a party.
Secretly the girls embroidered for you,
they embroidered dreams, the sun, the moon
for you, they embroidered their love and set sails on it.

The sailors weep, the bells and your friends weep.

Brave lad, your mother wrapped herself in black,
storm and clouds wrapped your friends.
the harbor was deserted, the sea abandoned
and the sun stood still and moves no more.

1959-60

---

4 *Archipelago* was the title of a musical review first presented at the Metropolitan Theater in Athens in 1960. It contained settings of poems of Gatsos, Elytis, and other poets as well as four poems by Theodorakis.

Μαργαρίτα

Η Μαργαρίτα η Μαργαρώ,
περιστεράκι στον ουρανό...
τον ουρανό μες στα δυο σου μάτια κοιτάζω
βλέπω την Πούλια και τον Αυγερινό.

Η μάνα σου είναι τρελή
και σε κλειδώνει μοναχή,
σαν θέλω νά 'μπω στην κάμαρή σου
μου ρίχνεις μεταξωτό σκοινί,
και κλειδωμένους μας βλέπει η νύχτα,
μας βλέπουν τ' άστρα κι η χαραυγή.

Η Μαργαρίτα η Μαργαρώ,
βαρκούλα στο Σαρωνικό...
Σαρωνικέ μου, τα κυματάκια σου δώσ' μου,
δώσ' μου τ' αγέρι, δώσ' μου το πέλαγο.

Η μάνα σου είναι τρελή
και σε κλειδώνει μοναχή,
σαν θέλω νά 'μπω στην κάμαρή σου
μου ρίχνεις μεταξωτό σκοινί,
και κλειδωμένους μας βλέπει η νύχτα,
μας βλέπουν τ' άστρα κι η χαραυγή.

Η Μαργαρίτα η Μαργαρώ,
δεντράκι στο Βοτανικό...
Πάρε το τραμ μόλις δεις πως πέφτει η νύχτα,
πέφτουν οι ώρες, πέφτω, λιποθυμώ.

Margarita

Margarita, Margaro,
little dove in the sky.
I see the sky in your two eyes
the Pleiades and the Morning Star.

Your mother is crazy—
she locks you up alone.
When I want to get into your room
you throw me a silken rope
and locked in together, the night sees us,
the stars and the dawn.

Margarita, Margaro
little boat on the Saronic Gulf.
Saronic, give me your little waves
give me the breeze, give me the sea.

My mother is crazy,
she locks me up alone.
When I want you to come to my room
I throw you a silken rope
and the night sees us
the stars and the dawn.

Margarita, Margaro
little tree in the Botanical Gardens...
Take the tram as soon as night falls
the hours fall, I fall, I faint.

Απαγωγή

Θα πάρω μια βαρκούλα, μανούλα μου, στον Κάτω Γαλατά
και στην Αθήνα θα 'ρθω καρδούλα μου, καβάλα στο νοτιά.
Και σαν θα 'ρθει το δειλινό στον κήπο σου θα μπω
να κόψω τα τριαντάφυλλα
να κόψω τ' άστρα τ' ουρανού και τον Αυγερινό.

Θα βάλω στη βαρκούλα, μανούλα μου, λουλούδια και φιλιά
δυο γλάροι ταξιδεύουν, καρδούλα μου, καβάλα στο Βοριά.
Και νάτη η Κρήτη φάνηκε γαλάζια και ξανθιά
τη θάλασσα στα μάτια της
τον ουρανό στην αγκαλιά, τον ήλιο στα μαλλιά.

Θ' αράξω τη βαρκούλα, μανούλα μου, μπροστά σε μια σπηλιά
θα σε ταΐζω χάδια, καρδούλα μου, καβούρια και φιλιά.
Στη μάνα μου, στον κύρη μου λέγω και τραγουδώ
σας φέρνω την τριανταφυλλιά,
σας φέρνω τ' άστρα τ' ουρανού και τον Αυγερινό.

The Abduction

I'll take a boat, mother, to Kato Galata
and on τo Athens, my dear, riding the South Wind.
And when the evening falls I'll come to your garden
to pick roses,
to pick all the stars in the sky, even the Morning Star.

I'll fill the boat with flowers and kisses, mother;
two gulls are travelling, my dear, riding the North Wind.
And there's Crete ahead all blue and gold,
the sea in her eyes.
the sky in her arms, the sun in her hair.

I'll anchor the boat, mother, right in front of a cave,
and I'll feed you on hugs, my sweet, on crabs and kisses.
I speak and sing to my mother and father
I bring you the rosebush,
I bring you all the stars in the sky, even the Morning Star.

Πάμε μια βόλτα στα Χανιά

Το Σαββάτο το βράδυ φτάνει
δώσ' μου μάνα καινούρια αλλαξιά
τα παιδιά με προσμένουν στο λιμάνι
στο μπαλκόνι καθισμένη η κοπελιά.

Μοσχοβολούν οι γλάστρες,
μοσχοβολάει ο σγουρός βασιλικός
μοσχοβολάει κι η αγάπη
κύμα με κύμα μεγαλώνει ο ωκεανός.

Πάμε βόλτα στα Χανιά στην κάτω γειτονιά
να πάρουμε μια βάρκα με πανιά.
Πάμε βόλτα στα Χανιά στην κάτω γειτονιά
στη θάλασσα να βγούμε στ' ανοιχτά.

Το Σαββάτο το βράδυ φως μου
είμαι πρίγκιπας, είμαι υπουργός
έχω όλα τα πλούτη του κόσμου
δικιά μου η θάλασσα κι ο ουρανός δικός.

Το μπαλκονάκι σου δικό μου
δικές μου οι γλάστρες κι ο σγουρός βασιλικός
κι αν με κοιτάξεις μες στα μάτια
σκλάβος σου γίνομαι κι υπήκοος πιστός.

Let's Take a Walk in Chania

Saturday night is here, mother,
give me clean clothes to wear.
The boys are waiting for me at the harbor
the girl sits on the balcony there.

The potted plants smell sweet
and the curly basil too;
love has its own sweet smell,
wave by wave the sea swells.

Let's walk downtown in Chania
where a boat with sails might be.
Let's walk downtown in Chania,
and head for the open sea.

On Saturday night, my love
I'm a prince, a minister for you.
I have all the wealth in the world;
the sea and sky are mine too.

Your balcony belongs to me
the pot-plants and curly basil.
If you look into my eyes
I'm your slave and loyal vassal.

Το τραγούδι του νεκρού αδελφού (1961)

The Song of the Dead Brother (1961)

Inspired both by ancient tragedy and the modern tragedy of Greece's recent history, Theodorakis composed a musical play, *The Song of the Dead Brother,* for which he wrote the script and lyrics himself. The play was boycotted by the leadership of the Left-wing EDA Party because of its plea for reconciliation between the opposing sides of the Civil War.

Απρίλης

Απρίλη μου ξανθέ
και Μάη μυρωδάτο
καρδιά μου πως αντέχεις
μέσα στη τόση αγάπη και στις τόσες ομορφιές.

Γιομίζ' η γειτονιά
τραγούδια και φιλιά
την κοπελιά μου τη λένε Λενιώ
μα το 'χω μυστικό.

Αστέρι μου χλωμό
του φεγγαριού αχτίδα
στο γαϊτανόφρυδό σου
κρεμάστηκε η καρδιά μου
σαν το πουλάκι στο ξόβεργο.

Λουλούδι μου, λουλούδι μυριστό
και ρόδο μυρωδάτο
στη μάνα σου θα 'ρθω
να πάρω την ευχή της
και το ταίρι που αγαπώ.

April

My fair April
my perfumed May
my heart, how can you bear up
amidst so much love and so much beauty?

The neighborhood fills with songs and kisses
my girl is called Lenio, but I keep it a secret.

My star, my pale star
my moonbeam, my heart hangs
from your delicate brow
like a bird from a limed twig.

My flower, my sweet flower
and perfumed rose, I'll come to your mother
to ask for her blessing
and the mate I love.

Το όνειρο

Δυο γιους είχες μανούλα μου
δυο δέντρα, δυο ποτάμια,
δυο κάστρα Βενετσιάνικα,
δυο δυόσμους, δυο λαχτάρες.

Ένας για την ανατολή
κι ο άλλος για τη δύση
κι εσύ στη μέση μοναχή
μιλάς, ρωτάς τον Ήλιο.

Ήλιε που βλέπεις τα βουνά,
που βλέπεις τα ποτάμια
όπου θωρείς τα πάθη μας
και τις φτωχές μανούλες.

Αν δεις τον Παύλο φώναξε
και τον Ανδρέα πες μου.
Μ' έναν καημό τ' ανάστησα
μ' έναν λυγμό τα εγέννα.

Μα κείνοι παίρνουνε βουνά
διαβαίνουνε ποτάμια
ο ένας τον άλλο ψάχνουνε
για ν' αλληλοσφαγούνε.

Κι εκεί στο πιο ψηλό βουνό
στην πιο ψηλή ραχούλα
σιμά κοντά πλαγιάζουνε
κι όνειρο ίδιο βλέπουν.

Στης μάνας τρέχουνε κι οι δυο

The Dream

Mother, you had two sons,
two trees, two rivers,
two Venetian castles,
two mint bushes, two joys.

One went to the East
the other to the West
and you alone between them
speak, you ask the sun:

Sun, who sees the mountains
who sees the rivers too,
wherever you see our troubles
and mothers who are poor.

If you see Pavlos call me,
if you see Andreas, tell me.
I raised them with sadness,
I gave birth with a sob.

But they leave mountains behind
and cross the deep rivers.
Each one seeks the other
to fight him to the death.

And there on the highest peak
up on the highest ridge,
they lie beside each other
dreaming the same dream.

Both run to their mother

το νεκρικό κρεβάτι.
μαζί τα χέρια δίνουνε
της κλείνουνε τα μάτια.

και τα μαχαίρια μπήγουνε
βαθιά μέσα στο χώμα.
κι απέκει ανέβλυσε νερό
να πιεις, να ξεδιψάσεις.

lying on her deathbed;
together they reach out
their hands to close her eyes

and they plunge their knives
deep into the earth
and water gushes out
to drink, to quench your thirst.

Η αλυσίδα

Την αλυσίδα την βαριά
την κάνω χελιδόνι
τη φυλακή τη σκοτεινή
την κάνω ξαστεριά.
Την αλυσίδα την βαριά
εγώ και εσύ κι εσύ κι εσύ
την κόβουμε μαζί.

Σπάσε την αλυσίδα με τα σίδερα!
Φτιάξε την αλυσίδα με τα κύματα!
Σπάσε την αλυσίδα με τα σίδερα!
Φτιάξε την αλυσίδα με τα σύννεφα!
Σπάσε την αλυσίδα με τις ντροπές!
Φτιάξε την αλυσίδα με τις Πασχαλιές!
Σπάσε την αλυσίδα με τον αγκυλωτό!
Φτιάξε την αλυσίδα με τον Εωθινό!
Σπάσε την αλυσίδα και τη φυλακή!
Φτιάξε την αλυσίδα κορμί με κορμί!

Την αλυσίδα που μιλά
την κάνω αστροπελέκι!
Των παλατιών σου τη χλιδή
σου κάνω φυλακή!
Την αλυσίδα που μιλά
εγώ κι εσύ κι εσύ κι εσύ
τη φτιάχνουμε μαζί!
Η Λευτεριά κερδίζεται!

Ραγιάδες σηκωθείτε
φωνάζει ο Κίτσος!

The Chain

I turn the heavy chain
into a swallow
I turn the dark prison
into open sky.
Together we cut
the heavy chain
I and you and you and you,
we cut it together

Break the chain with bars!
Make the chain again with waves!
Break the chain with bars!
Make the chain with clouds!
Break the chain with shame!
Make the chain with lilacs!
Break the chain with the hook!
Make the chain with the Reveille!
Break the chain and the prison!
Make the chain body by body!

I turn the chain that speaks
into a thunderbolt!
I turn your fancy palace
into a prison!
I and you and you and you
make the speaking chain together!
Freedom is won!
Kitsos[5] shouts:
Slaves, rise up!

5 Kitsos is the hero of a number of traditional Greek Klephtic ballads.

Ένα δειλινό

Ένα δειλινό σε δέσαν στο σταυρό.
Σου κάρφωσαν τα χέρια σου
μου κάρφωσαν τα σπλάχνα
σου δέσανε τα μάτια σου
μου δέσαν την ψυχή μου

Ένα δειλινό με τσάκισαν στα δυο.
Μου κλέψανε την όραση
μου πήραν την αφή μου
μόν' μού 'μεινε η ακοή
να σ' αγρικώ, παιδί μου.

Ένα δειλινόσαν ωσάν τον σταυραετό
χίμηξε, πα' στις θάλασσες
χίμηξε πα' στους κάμπους
κάμε ν' ανθίσουν τα βουνά
και να χαρούν οι ανθρώποι.

One Evening

One evening they bound you to the cross.
They drove nails into your hands,
they drove nails into my entrails;
they bound your eyes,
they bound my soul.

One evening they tore me in two.
They robbed me of my sight,
they took my touch away
they left me only my hearing
so I could hear you, my son.

One evening like the golden eagle
soar over the seas
soar over the fields
make the mountains bloom
and make people rejoice.

Προδομένη αγάπη

Τα μεσάνυχτα που σμίγουνε οι ώρες,
προδομένη μου αγάπη
τα μεσάνυχα που σμίγουν οι καρδιές μας,
προδομένη μου αγάπη,

Νταν νταν νταν νταν σημαίνει
νταν το τέλος της αγάπης.
Δυό πουλιά δυό περιστέρια
ταξιδεύουν μέσα στ' αστέρια.

Τα μεσάνυχτα που είναι μακριά ο ήλιος,
προδομένη μου αγάπη
τα μεσάνυχτα που είναι κοντά οι ζωές μας,
προδομένη μου αγάπη

Νταν νταν νταν νταν σημαίνει
νταν το τέλος της αγάπης.
Δυο πουλιά δυο περιστέρια
ταξιδεύουν μέσα στ' αστέρια.

Τα μεσάνυχτα θα σε περιμένω,
προδομένη μου αγάπη
σαν θα φύγει το φεγγάρι στο σκοτάδι,
προδομένη μου αγάπη.

Νταν,νταν, νταν σημαίνει
νταν το τέλος της ζωής μας.
Δυό πουλιά δυό περιστέρια
ταξιδεύουν μέσα στ' αστέρια.

Betrayed Love

Midnights when the hours merge,
my betrayed love,
midnights when our hearts merge,
my betrayed love.

Ding, dong, ding, dong, dong,
marks the end of love.
Two birds, two doves
journey amid the stars.

Midnights when the sun is far away,
my betrayed love,
midnights when our lives are close,
my betrayed love.

Ding, dong, ding, dong, dong
marks the end of love.
Two birds, two doves
journey amid the stars.

Midnights I'll wait for you
my betrayed love
when the moon disappears in the darkness
my betrayed love.

Ding, dong, ding, dong, dong,
marks the end of our life.
Two birds, two doves
journey amid the stars.

Τον Παύλο και τον Νικολιό

Τον Παύλο και τον Νικολιό
τους πάνε για ταξίδι
με βάρκα δίχως άρμενα
με πλοίο δίχως ξάρτια.

Τ' άρμενα τά 'καψε φωτιά
τα ξάρτια καταιγίδε
και το ταξίδι θάνατος
που γυρισμό δεν έχει.

Του Παύλου και του Νικολιού
οι μάνες πάνε αντάμα
ρωτούν το χώμα να τους πει
κι εκείνο στάζει αίμα.

Δεν είναι αναστεναγμός
που βγαίνει απ' το χώμα
μόνο πηγή λαχταριστή
να πιείς να ξεδιψάσεις.

Pavlos and Nikolio

They're taking Pavlos
and Nikolio on a voyage
in a boat without rigging,
on a ship without shrouds.

Fire burned the rigging
a storm took the shrouds
and the journey of death
has no return.

The mothers of Pavlos
and Nikolio go together;
they ask the earth
but it's dripping blood.

Those are not groans
that come from the earth,
but an inviting spring
to quench your thirst.

Στα περβόλια

Στα περβόλια, μες στους ανθισμένους κήπους
σαν άλλοτε θα στήσουμε χορό
και τον Χάρο θα καλέσουμε
να πιούμε αντάμα και να τραγουδήσουμε μαζί.

Κράτα το κλαρίνο και το ζουρνά
κι εγώ θά 'ρθω με τον μικρό μου τον μπαγλαμά
Αχ, κι εγώ θά 'ρθω...
Μες στης μάχης τη φωτιά με πήρες, Χάρε
πάμε στα περβόλια για χορό.

Στα περβόλια, μες στους ανθισμένους κήπους
αν σε πάρω, Χάρε, στο κρασί
αν σε πάρω στον χορό και στο τραγούδι
τότες χάρισέ μου μιας νυχτιάς ζωή.

Κράτα την καρδιά σου, μάνα γλυκιά
κι εγώ είμ' ο γιος που γύρισε για μια σου ματιά
Αχ, για μια ματιά.
Για το μέτωπο σαν έφυγα, μανούλα
εσύ δεν ήρθες να με δεις.
Ξενοδούλευες και πήρα μόνος μου το τρένο
που με πήρε πέρ' απ' τη ζωή...

In the Orchards

In the orchards with their flowering gardens
like old times, we'll raise a dance
and invite Death
to drink and sing with us.

Take the clarinet and oboe
and I'll come with my little baglama[6]..
Ah, and I'll come too...
you took me in the fire of battle, Death,
let's go to the orchards and dance.

In the orchards, with their flowering gardens
if I beat you, Death, at the wine drinking
if I beat you at the dancing and singing
then grant me a night of life.

Take heart, sweet mother,
I am the lad who returned for one glance from you.
Ah, for one glance!

When I left for the Front, mother
you didn't come to see me.
You were working for strangers and I took the train alone
the one that carried me out of life....

6 The baglama is a small long-necked lute of the bouzouki family.

Δοξαστικό

Ενωθείτε, βράχια βράχια.
Ενωθείτε, χέρια χέρια.
Τα βουνά και τα λαγκάδια, πιάστε το τραγούδι.
Πολιτείες και λιμάνια, μπείτε στο χορό.

Σήμερα παντρεύουμε τον Ήλιο
τον Ήλιο με τη νύφη τη μονάκριβη την Πασχαλιά.

Πασχαλιά μας, κοπελιά μας
κάμποι, θάλασσες, βουνά μας
μάνες, κόρες, σκοτωμένα αδέλφια, πατεράδες
ένα δέντρο με μια ρίζα, μια πηγή, μια βρύση.

Πολυχρόνιος ημέρα –Υπερμάχο –Υπερμάχο.

Gloria

Link arms
join hands
mountains and valleys, take up the song,
cities and harbors, enter the dance.

Today we'll wed the Sun,
to his one-and-only bride, the lilac.

Our Easter lilac, our girl,
our fields, seas, mountains,
mothers, daughters, slain brothers, fathers,
a tree with one root, one source, one spring.

Today we'll wed the Sun,
to his one-and-only bride, the lilac.

Polychronios's Day – Defender – Defender![7]

---

7 Saint Polychronios, an early Christina martyr, is celebrated on the 7th of October. Υπερμάχο, or Defender, is a reference to the Orthodox hymn of that name, sung during the Easter service.

Μαγική Πόλη

Αθήνα, 1963

Enchanted City

A musical review with song texts by various poets, including Theodorakis.

Athens, 1963

Βάρκα στο γιαλό

Πέντε πέντε δέκα
δέκα δέκα ανεβαίνω τα σκαλιά
για τα δυο σου μάτια
για τις δυο φωτιές
που όταν με κοιτάζουν
νιώθω μαχαιριές.

Βάρκα στο γιαλό
βάρκα στο γιαλό
γλάστρα με ζουμπούλι
και βασιλικό.

Πέντε πέντε δέκα
δέκα δέκα θα σου δίνω τα φιλιά.
Κι όταν σε μεθύσω
κι όταν θα σε πιω
θα σε νανουρίσω
με γλυκό σκοπό.

Πέντε πέντε δέκα
δέκα δέκα κατεβαίνω τα σκαλιά
φεύγω για τα ξένα
για την ξενιτιά
και μην κλαις για μένα
αγάπη μου γλυκειά.

Boat on the Shore

Five, five, ten
ten, ten I climb the stairs
for your two eyes
for the two fires
that feel like daggers
when they look at me.

Boat on the shore
boat on the shore
pot with hyacinths
pot with basil.

Five, five, ten
ten, ten I'll give you kisses
and when I've made you drunk
and when I've drunk you
I'll sing you a lullaby
with a sweet melody.

Five, five, ten
ten, ten I come downstairs
I leave for distant places
I leave for foreign lands
and don't cry for me
my sweetest love.

Το φεγγάρι

Το φεγγάρι κάνει βόλτα
στης κυράς μου τα μαλλιά.

Παίξε Τσιτσάνη μου το μπουζουκάκι
ρίξε μου μια γλυκειά πενιά,
παίξε Τσιτσάνη μου το μπουζουκάκι
να θυμηθούμε τα παλιά.

Το φεγγάρι κάνει κύκλο
στης κυράς μου την καρδιά.

Παίξε Μανώλη μου το μπουζουκάκι
ρίξε μου μια γλυκειά πενιά,
παίξε Μανώλη μου το μπουζουκάκι
να θυμηθούμε τα παλιά.

Το φεγγάρι κάνει βόλτα
μα η κυρά δεν μ' αγαπά.

Παίξε Γρηγόρη μου το μπουζουκάκι
ρίξε μου μια γλυκειά πενιά
παίξε Γρηγόρη μου το μπουζουκάκι
να ξεχαστούνε τα παλιά.

The Moon

The moon takes a turn
around my lady's hair.

Play your bouzouki Tsitsanis![8]
Hit a sweet chord for me!
Play your bouzouki Tsitsanis,
to remind us of the old days.

The moon makes a circle
around my lady's heart.

Play your bouzouki Manolis!
Hit a sweet chord for me!
Play your bouzouki Manolis,
to remind us of the old days.

The moon takes a turn
but the lady doesn't love me.

Play your bouzouki Grigoris!
Hit a sweet chord for me!
Play your bouzouki Grigoris,
so the old days are forgotten.

---

8 Vassilis Tsitsanis, one of the most famous stars of the rembetika song tradition. Manolis is a reference to Manolis Hiotis, the bouzouki-player and song-writer who Theodorakis used on his early recordings. Grigoris refers to Grigoris Bithikotsis, a popular singer who performed many of Theodorakis's greatest songs.

Δυο προφητικά τραγούδια

Two Prophetic Songs

(Both were included in *Enchanted City*, Athens 1963)

These two songs were written in April 1963 and recorded in June of the same year.

I call them "Prophetic" because I wrote them in the grip of a strange premonition. I remember when I played them for the first time for a small circle of friends and they asked me "Who is this rider?" I told them that I'd seen a great man who was dead but who would take us out of this impasse. It was as if I had described the death of Grigoris Lambrakis. And the Five Soldiers? The armies of the Lambrakis Youth.

Theodorakis: *Μελοποιημένη ποίηση, vol. A, p.117*

Ο καβαλάρης τ' ουρανού

Ο καβαλάρης τ' ουρανού
φάνηκε πάνω στην κορφή
κρατά στο χέρι την αυγή
και στ' άλλο τη ζωή μου.

Το παλικάρι, το παλικάρι
θα 'ρθει το βράδυ στις εννιά
βόηθα Χριστέ και Παναγιά.

Ο καβαλάρης του βουνού
φάνηκε στα σοκάκια
κρατά στο χέρι κεραυνούς
και στ' άλλο αναστεναγμούς.

Ο καβαλάρης τ' ουρανού
φέρνει μαζί του την αυγή
φέρνει το χέρι που σκορπά
και τ' άλλο που θερίζει.

The Rider in the Sky

The rider in the sky
appeared on the crest
holding the dawn in one hand
and in the other, my life.

The brave man, the brave man
he'll come this evening at nine
help him, Christ and the Virgin!

The rider on the mountain
appeared in the narrow streets
holding thunderbolts in one hand
and in the other, sighs.

The rider in the sky
brings the dawn with him,
he brings the hand that scatters
and the other that reaps.

Πέντε στρατιώτες ξεκινήσανε

Πέντε στρατιώτες ξεκινήσανε
το βουνό να βάψουν, ξεκινήσανε
το βουνό να βάψουν, σταματήσανε
το βουνό το βάψαν, κοιμηθήκανε.

Πέντε στρατιώτες κοιμηθήκανε
το βουνό τους τρώει, θυμηθήκανε
το βουνό τους πίνει, ονειρευτήκανε
το βουνό τους φτύνει, διαλυθήκανε.

Πέντε στρατιώτες διαλυθήκανε
το βουνό ανθίζει, ονειρευτήκανε
το βουνό χιονίζει, κοιμηθήκανε
το βουνό στενάζει, αγαπηθήκανε.

Μάνα.... Μάνα.... Μάνα....
Πέντε μάνες, μάνες, μανούλες...

Five Soldiers Set Out

Five soldiers set out
to paint the mountain, they set out
to paint the mountain, they stopped
they painted the mountain, they slept.

Five soldiers slept,
the mountain eats them, they remembered
the mountain drinks them, they dreamed
the mountain spits on them, they were done for.

Five soldiers were done for,
the mountain blooms, they dreamed,
the mountain snows, they slept,
the mountain sighs, they loved one another.

Mother...mother...mother...
Five mothers...mothers...dear mothers.

Ο Ήλιος και ο χρόνος

1967, Φυλακή Μπουμπουλίνας

Manuscript of the first song of the cycle *The Sun and Time*. Poems written by Theodorakis in Bouboulinas Prison, August and September, 1967 and set to music soon after.

The Sun and Time

Athens 1967

On the twenty-first of August I was captured at Haidari. On the fourth floor at Bouboulinas Street prison, cell number 4, I waited for torture and death. On the fourth of September they brought me paper and pencil. Then I wrote 32 poems. I had spent the previous nights sleepless with my back pressed to the wall waiting from moment to moment for them to take me for torture or execution. My whole existence was marked by the expectation of certain death. As time flowed patiently by and I suffered, I saw clearly in my head an image of the final moment. The morning sky was a deep blue. The air was transparent, crystal clear. What would I call out at this final moment? This thought tormented me...

This torment was followed by an inexplicable euphoria. I was happy! In the end death isn't so terrible. Perhaps it's beautiful, I say to the guard...

I'm not a poet, but when the verses began to hammer at my brain I felt how words could be dressed in blood. How they could liberate me. I am an artist. I defeat time and death...

I am Time.

This is why 'The Sun and Time' became the cycle of Life and Death. In the end they became a victorious cycle. A bitter victory, because the spirit of the poet suffers for all people. Even those who hate him and torture him,

The Debt, vol. 2

Ο Ήλιος και ο χρόνος

i

Γεια σου Ακρόπολη
Τουρκολίμανο, οδός Βουκουρεστίου.
Ο Πολικός σημαδεύει με φως
το σταθερό σημείο του κόσμου.

Αθήνα η πρώτη
στο βυθό των αιώνων
με το γυαλί
σε βλέπουν οι ψαροντουφεκάδες.
Γαλέρες, γιωταχί, πορνεία κρυφά
η Γενική κέντρο του κόσμου.
Ο Πολικός γυρίζει σταθερά
το φουγάρο του μαγειρείου
σημαδεύει με καπνό
το σταθερό σημείο του Στερεώματος.
Η Πούλια, η Αφροδίτη
η Ντίνα, η Σούλα, η Εύη, η Ρηνιώ.
Πέντε εκατομμύρια έτη φωτός
σταθερή γραμμή διασχίζει
πέντε δισεκατομμύρια γαλαξίες
σε πέντε μέτρα
σε πέντε μέτρα
σε πέντε μόνο μέτρα
από το κελί μου.

The Sun and Time

i

Greetings Acropolis
Tourkolimano, Voukourestiou Street!
The polestar aims its light
at the still point of the world.

Athens the First
buried deep in the ages
the spear-fishers see you
from behind their masks.
Galleys, private cars, secret brothels
the "Security" center of the world.
The polestar revolves steadily,
the cookhouse chimney
aims its smoke
at the still point of the firmament.
The Pleiades, Aphrodite,
Dina, Soula, Evi, Irine.[9]
Five million years of light.
A constant line traverses
five billion galaxies
five meters
only five meters
from my cell.

---

9 The many proper names in the poem refer to friends and fellow-members of the resistance to the dictatorship, some of whom hid Theodorakis in their homes. Others were arrested on suspicion of hiding him or for their underground activities.

ii

Ο χρόνος διαλύεται
μέσα στη στιγμή
το ελάχιστο γίνεται
ο μέγιστος τύραννος
βασανίζει ανθισμένες πληγές
γεμάτες χαμόγελα και υποσχέσεις
για κάτι άλλο, αυτό το άλλο
είναι που ζούμε κάθε στιγμή
νομίζοντας ότι ζούμε το άλλο.
Όμως το άλλο δεν υπάρχει.
Είμαστε εμείς η Μοίρα μας
που μας λοξοκοιτάζει.
Σφίγγα που ξέχασε το αίνιγμα
δεν έχουμε τίποτα να λύσουμε.
Δεν υπάρχει αίνιγμα
δεν υπάρχει διαφυγή
από τον πύρινο κύκλο
του Ήλιου και του Θανάτου.

iii

Ήλιε θα σε κοιτάξω στα μάτια
έως ότου ξεραθεί η όρασή μου, η όρασή μου,
να γεμίσει κρατήρες με σκόνη,
να γίνει Σελήνη δίχως διάστημα, κίνηση, ρυθμό,
χαμένος διάττων εσβεσμένος από αιώνες
καταδικασμένος ν' ακούει κραυγές ανθρώπων
να ανασαίνει πτωμαΐνη λουλουδιών.
Ο Άνθρωπος πέθανε! Ζήτω ο Άνθρωπος!

ii

Time dissolves
in the moment.
The merest trifle becomes
the greatest of tyrants;
it torments flowering wounds
full of smiles and promises
and something else; it's that other
we live each moment
thinking that we live another.
But the other doesn't exist.
We are ourselves, our Fate
who looks sidelong at us,
the Sphinx who forgot the riddle.
We have nothing more to solve:
there's no riddle,
no escape from the circle,
the fiery circle
of Sun and Death.

iii

Sun, I will look you in the eye
till my vision dries up
fills with craters of dust
and becomes a moon without space
without motion, rhythm
a falling star extinguished eons ago
condemned to listen to the cries of men
to breathe the stench of dead flowers,
Man is dead! Long live Man!

iv

Επάνω στο ξερό χώμα της καρδιάς μου
εφύτρωσε ένας κάκτος.
Πέρασαν πάνω από είκοσι αιώνες
που ονειρεύομαι γιασεμί
τα μαλλιά μου μύρισαν γιασεμί,
η ζωή μου είχε πάρει κάτι
από το λεπτό άρωμά του
τα ρούχα μου μύρισαν γιασεμί,
η ζωή μου είχε πάρει κάτι
από το λεπτό άρωμα του.
Όμως ο κάκτος δεν είναι κακός,
μονάχα δεν το ξέρει και φοβάται.
Κοιτάζω τον κάκτο μελαγχολικά
πότε πέρασαν κιόλας τόσοι αιώνες;
θα ζήσω άλλους τόσους
ακούγοντας τις ρίζες να προχωρούν
μέσα στο ξερό χώμα της καρδιάς μου.

v

Ανάμεσα σε μένα και τον ήλιο
δεν υπάρχει, δεν υπάρχει
δεν υπάρχει, δεν υπάρχει
παρά μόνο η διαφορά του χρόνου
Ανατέλλω και δύω,
υπάρχω και δεν υπάρχω,
με βλέπουν χωρίς να μπορώ να δω
τον εαυτό μου, τον εαυτό μου

iv

In the dry soil of my heart
a cactus has grown.
It's been more than twenty centuries
since I dreamed of jasmine
my hair smelled of jasmine
my voice had taken something
of its delicate perfume
my clothes smelled of jasmine
my life had taken something
of its delicate perfume.
But the cactus is not bad;
it simply doesn't know it and is afraid.
Sadly I look at the cactus;
where did all those centuries go?
I will live as many again
listening to the roots
as they grow steadily
in the dry soil of my heart.

v

Between the sun and me
there is nothing
but the difference of time.
I rise and set
I exist and cease to be
they see me
though I cannot see myself.

vi

Όταν σταματήσει ο χρόνος
το κελί μου γεμίζει μήνες
μήνες, μέρες, ώρες, στιγμές,
δέκατα δευτερολέπτων
δέκατα δευτερολέπτων
δέκατα δευτερολέπτων
ένα βήμα πριν από το χάος
υπάρχει χάος
ένα βήμα μετά το χάος
υπάρχει χάος
εγώ υπάρχω λίγο πριν, λίγο μετά
υπάρχω μέσα στο χάος
δεν υπάρχω.

vii

Τα κελιά ανασαίνουν
τα κελιά που βρίσκονται ψηλά
τα κελιά που βρίσκονται χαμηλά
η βροχή μας ενώνει,
ο ήλιος ντράπηκε να φανεί, Νίκο,
Γιώργο, κρατιέμαι από ένα λουλούδι.

viii

Ο Ήλιος με δαγκώνει
δεν έχει δόντια
απατηλές
απατηλές υποσχέσεις πάνω στον τοίχο
επάνω στο άσπρο χρώμα το άσπρο χρώμα

vi

When time stands still
my cell fills with months
months, days, hours, moments
tenths of a second
tenths of a second
tenths of a second
a step before chaos
there is chaos.
a step before chaos
I exist a little before, a little after
I exist in chaos
I don't exist.

vii

The cells breathe
the cells that are high up
the cells that are down low
the rain unites us
the sun was ashamed to appear, Nikos.
Yorgos, I'm holding on by a flower.

viii

The Sun bites me
it has no teeth
false
false promises on the wall
white color on white

με σκιές
χωρίς σκιές
μονάχα εγώ μένω ακίνητος
αμετακίνητος μέσα στο φως και το άσπρο
αμετάθετος μένω ψηλά
πάνω από το μωσαϊκό που αιωρείται
η σκέψη μου στροβιλίζεται προς τη Γη
το αλεξίπτωτο δεν άνοιξε
η Γη προχωρεί καλπάζοντας προς τη σκέψη μου
ο Ήλιος συμπιέζεται,
αποκαλύπτει το κενό
τρία κενά συγκρούονται
η Σκέψη μου, η Γη και ο Ήλιος.

ix

Κάτω στη Γη διασπορά
ο Νόμος του Νόμου ω Νόμε
ο Νόμος δε συγκρούεται με το κενό
όταν φορεί κράνος καπνίζει
τσιγάρα με φίλτρο
όταν φορεί πιζάμες
όταν φορεί πιζάμες μεταξωτές
δεν καπνίζει δεν καπνίζει
καπνίζουν τα χωριά, τα δάση, οι ρυζώνες
οι μητέρες δεν καπνίζουν
οι στρατιώτες καπνίζουν πριν κοιμηθούν
κοιμούνται βαθειά, έως δύο αιώνες
εγώ καπνίζω πριν πεθάνω
πάντοτε πριν πεθάνω καπνίζω
σέρτικα Λαμίας, μυρωδάτα Ξάνθης
γλυκειά μυρωδιά λίγο πριν το τέλος
το τέλος έχει γλυκειά μυρωδιά
μυρωδάτα Ξάνθης, σέρτικα Λαμίας.

with shadows
without shadows
only I remain motionless.
immovable in the light and white
immovable, I remain high
above the mosaic that is suspended
my thought spins towards the Earth
the parachute didn't open
the Earth goes on, galloping towards my thought
the Sun is constricted
it reveals the void
three voids collide
my Thought, the Earth and the Sun.

ix

Under the earth it spreads
the Law of the Law oh Law!
when it wears a helmet it smokes
filtered cigarettes
when it wears pajamas
when it wears silk pajamas
it doesn't smoke, it doesn't smoke
the villages, the forests, the paddy-fields burn
the mothers don't smoke
the soldiers smoke before they go to sleep
they sleep heavily, for two centuries
I smoke before I die
I always smoke before I die
strong Lamia tobacco, fragrant Xanthi
a sweet smell just before the end
the end has a sweet smell
fragrant Xanthi, strong Lamia.[10]

10 Lamia and Xanthi. Towns known for their production of tobacco.

x

Τα δόντια του Ήλιου είμαι εγώ
αυτό που με δαγκώνει είμαι εγώ
είμαι εγώ αυτό που θέλει
αυτό που δεν θέλει είμαι εγώ
εγώ είμαι όταν εσύ με θυμάσαι
όταν εσύ με ξεχνάς εγώ είμαι
όταν δεν υπάρχω είμαι εγώ
όταν δεν θα υπάρχω είμαι εσύ
όμως εσύ είμαι εγώ.

xi

Το Αιγαίο σηκώθηκε και με κοιτάζει
— Είσαι συ; μου λέει.
— Ναι, του απαντώ, είμαι εγώ
  μαζί με κάποιον άλλον,
  δεν τον γνωρίζεις;
— Όχι, μου λέει.
— Δεν τον γνωρίζεις όμως αυτός ο άλλος είσαι εσύ.

Το Αιγαίο ξάπλωσε
ο Ήλιος έβηξε
έμεινα μόνος
εντελώς μόνος.

x

I am the teeth of the sun
I am what bites me
I am what wants
what doesn't want is me
when you remember me I am
when you forget me I am
when I exist I am myself
when I don't exist I am you
but you are me.

xi

The Aegean got up and it's looking at me
"Is that you?" it asks me.
"Yes," I answer, "It is me and someone else too.
Don't you recognize him?"
"No," he says.
"You don't recognize him but this someone is you."

The Aegean lay down,
the sun coughed.
I remained alone
completely alone.

xii

Όχι εντελώς μόνος
εσένα δε σε θέλω
σε θέλω τόσο πολύ
γι' αυτό εσένα δε σε θέλω
τα πλατάνια, τα κρύα νερά
μυρτιά μυρτιά μυρτιά
ένα σύμβολο, ένα ιδεώδες, μια πίστη
σε θέλω τόσο πολύ
ραδίκι γεμάτο χώμα
μυρτιά μυρτιά μυρτιά
γι' αυτό εσένα δεν σε θέλω
γιατί χωρίς εσένα
δεν μπορώ να είμαι μόνος
εντελώς μόνος να είμαι.

xiii

Πυροβολήστε το χρόνο,
σκοτώστε το χρόνο
ο χρόνος εκτός νόμου
θέλω να στήσω το πτώμα του
στην οδό Αιόλου
πωλείται ο χρόνος σε τιμή ευκαιρίας
στο Μοναστηράκι
αγοράστε το χρόνο σε τιμή ευκαιρίας
είναι φρεσκότατος
τον κυνηγήσαμε χτες,
τον σκοτώσαμε χτες
χτες χτες χτες
από το χτες στο σήμερα
που σημαίνει ότι δεν κάναμε καλή δουλειά.

xii

Not completely alone
I don't want you
I want you so much
that's why I don't want you
the plane trees, the cold streams
myrtle, myrtle, myrtle
a symbol, an idea, a faith
I want you so much
dandelion covered in earth
myrtle, myrtle, myrtle
that's why I want you
because without you
I cannot be alone
cannot be
completely alone.

xiii

Shoot time
kill time
time beyond the law
I want to set its corpse up
in Aiolos Street
to sell time at a discount
in Monastiraki
it's fresh
we hunted it yesterday
we killed it yesterday
yesterday, yesterday, yesterday
from yesterday to today
which means that we didn't do a good job.

xiv

Έξω απ' αυτόν τον κύκλο
δεν θα περάσεις
θα μείνεις μέσα.
Εσύ, ο Ήλιος και ο Χρόνος
η τροχιά ρυθμίζεται με κούρδισμα
τη νύχτα κουρδίζεις
τη μέρα ξεκουρδίζεις
υπόκλιση, χαμόγελο, κραυγή, βλαστήμια
όλα ρυθμισμένα
από τον κατασκευαστή.

xv

Όποιος κι αν είσαι
πέλαγο βουνό γυναίκα, ταύρος
αν είσαι άνθρωπος
αν είσαι άνθρωπος
δέντρο, τραγούδι φόρος θάνατος
αν είσαι άνθρωπος
αν είσαι άνθρωπος
βγάλε μαλακά το χειρόφρενο
ξεκίνησε με δεύτερη στον κατήφορο
όποιος κι αν είσαι
θα σου κοστίσει λιγότερο
λεωφορείο φορτηγό σιτροέν ντεκαβέ
Μαργαρίτα Μυρτιά Ροδόσταμο Θεοδωράκης
αν είσαι άνθρωπος
θα σου κοστίσει λιγότερο
θύμηση παλιά

xiv

You will not go
beyond this circle
you will stay inside it.
You, the Sun and Time
your orbit is regulated by winding
at night you wind it up
by day you unwind it
curtsey, smile, cry, curse
everything regulated
by the manufacturer.

xv

Whoever you are
ocean mountain woman bull
if you are human
tree song tax death
if you are human
if you are human
release the handbrake gently
start the descent in second gear
it will cost you less
bus truck Citroen DKW
Margarita Myrtle Rosewater Theodorakis
whoever you are
it will cost you less
old memory
old as today
as tomorrow

παλιά όσο σήμερα
όσο αύριο
όσο αύριο
όσο ποτέ
αν είσαι άνθρωπος
όποιος κι αν είσαι.

xvi

Ήλιος ο Πρώτος
Αθήνα η Πρώτη
Μίκης ο εκατομμυριοστός
έπονται εκατό χιλιάδες
και άλλες εκατό
και εκατό άλλες χιλιάδες αθώοι
και ούτω καθεξής
έως τη συντέλεια του κόσμου.

xvii

Ποτέ, ποτέ, ποτέ
δε θα μπορέσω να ξεδιπλώσω όλες τις σημαίες
πράσινες, κόκκινες, κίτρινες, μπλε, μωβ, θαλασσιές.
Ποτέ, ποτέ, ποτέ
δε θα μπορέσω να μυρίσω όλα τα αρώματα,
πράσινα κόκκινα
κίτρινα, μπλε, μωβ, θαλασσιά.
Ποτέ, ποτέ, ποτέ
δε θα μπορέσω ν' αγγίξω όλες τις καρδιές
όλες τις θάλασσες να ταξιδέψω.
Ποτέ, ποτέ, ποτέ
δε θα γνωρίσω τη μία σημαία

as tomorrow
as never
if you are human
whoever you are.

xvi

Sun the First
Athens the First
Mikis the millionth
a hundred thousand follow
and another hundred
and another hundred thousand innocents
and so on and so forth
until the end of the world.

xvii

Never never never
will I be able to unfurl all the flags
green, red, yellow, blue, mauve, azure.
Never never never
will I be able to smell all the perfumes
green, red, yellow, blue, mauve, azure.
Never never never
will I be able to touch all the hearts
sail all the seas.
Never never never
will I know the one
and only flag

τη μοναδική
εσένα
Τάνια.

xviii

Όταν πλάγιασα στην αμμουδιά
οι λουόμενοι πέσαν στη θάλασσα
όταν μπήκα στη θάλασσα
οι λουόμενοι βγήκαν στην αμμουδιά
όταν πνίγηκα
οι λουόμενοι πήγαν στα σπίτια τους
κι όταν αναστήθηκα
ήταν πια αργά
οι λουόμενοι μπήκαν στ' αυτοκίνητά τους.

xix

Το είδωλό μου είσαι εσύ
το χέρι μου είναι το δικό σου
όταν το σφίγγω σφίγγεται
όταν το υψώνω υψώνεται
μονάχα αυτό το κάγκελο είναι δικό μου
κι αυτό που καθρεφτίζεται είναι δικό σου
(να τονιστεί το αίσθημα της ατομικής ιδιοκτησίας)
δικό μου δικό σου
το κάγκελο
όμως δικά μας
τα μάτια
τα χείλη
και τα χέρια

you
Tania.

xviii

When I lay down on the sand
the bathers jumped into the sea
when I dived into the sea
the bathers got out of the water.
when I drowned
the bathers went home
and when I rose from the dead
it was already too late
the bathers had got into their cars.

xix

You are my image
your hand is my hand
when I squeeze it, it is squeezed
when I raise it, it is raised
only these bars are mine
and what is reflected is yours
(the sense of private ownership should be stressed)
mine yours
the prison bars
but ours
the eyes
the lips
the hands.

xx

Μέσα στους παραδείσιους κήπους του κρανίου μου
κίτρινος Ήλιος ταξιδεύει στα φτερά του χρόνου
ακολουθούν πούλια με ξύλινα φτερά
προπορεύονται άγγελοι με τζετ
μεγαλόπρεπη πορεία πάνω από μπανανιές,
ευκαλύπτους και πεύκα που καλύπτουν
την αριστερή πλευρά του εγκεφάλου μου
στη δεξιά νύμφες και ουράνιες πόρνες
σκεπασμένες γιασεμιά, κόκκινες σαύρες
ακούν τους καταρράχτες που χάνονται
στις καταβόθρες του νωτιαίου μυελού μου
εκεί αρχίζει η Γη και τελειώνει το Σύμπαν
αιφνιδίως η μεγαλόπρεπη πομπή ακινητοποιείται
ώρα έξι το απόγευμα,
ώρα έξι ακριβώς
σταματά η πομπή, ο χρόνος, ο Ήλιος
μονάχα τα πουλιά ταξιδεύουν
χτυπούν τα ξύλινα φτερά
και τα τζετ θρηνούν κι αυτά αγγελικά.

xxi

Έχω ένα λαβύρινθο γιωταχί
ένα γιωταχί μινώταυρο δώδεκα ίππων
ζητώ Θησέα μεταχειρισμένο σε καλή τιμή
ανταλλάσσω ραδιόφωνο ιαπωνικό
με Αριάδνη ει δυνατόν χήρα
κάτω των σαράντα
εισόδημα άνω των πέντε

xx

In the paradise gardens of my skull
a yellow sun travels on the wings of time.
Birds with wooden wings follow
angels lead the way on jets
a grand procession
above the banana trees, eucalyptus and pines
that cover the left side of my brain;
on the right, nymphs and heavenly whores.
covered in jasmine
red lizards listen to the waterfalls
that disappear into the sewers of my spinal chord
where the Earth begins
and the Universe ends.
Suddenly the grand procession stands still
six in the afternoon
exactly six o'clock
the procession Time, the Sun stops
only the birds fly on
beating their wooden wings
and even the jets lament like angels.

xxi

I have a private labyrinth
a private twelve horsepower Minotaur.
I seek a second-hand Theseus at a good price
I will exchange a Japanese radio
for Ariadne if possible a widow
under forty,
income above five figures,

χρονικό όριο ένα δέκατο του δευτερολέπτου
σε ένα δέκατο του δευτερολέπτου
θα είμαι νεκρός.

xxii

Ο Ελύτης ο Γκάτσος ο μέγας Σεφέρης
ο Τσαρούχης ο Μινωτής ο Χατζιδάκις
η Βέρα η Ντόρα η Τζένη
ο κινηματογράφος το θέατρο η μουσική
και τόσοι άλλοι
οι ποιητές οι ποιητές
και τόσοι άλλοι
κι εσύ κι εσύ κι εσύ
ο φίλος ο εχθρός ο αντίπαλος ο αντίζηλος
κοιμηθείτε ήσυχα
ο λογαριασμός είναι πληρωμένος
ο φίλος που πληρώνει
έχει λεφτά.

xxiii

Επουράνιοι ποταμοί, υπόγειοι χείμαρροι
κατεβαίνουν παφλάζοντας,
οδός Ονείρων Ομόνοια
Σίλβα,
Σ-ι-λ-β-α Φιλοθέη Χαϊδάρι
Σίγμα γιώτα λάμδα βήτα άλφα
Φιλοθέη Χαϊδάρι
τα νερά τους ξανθά,
δυο στρώματα ξανθά,

time limit
a tenth of a second
in a tenth of a second
I will be dead.

xxii

Elytis, Gatsos, the great Seferis
Tsarouchis, Minotis, Hadzidakis
Vera, Dora, Jeni,[11]
cinema theater music
and so many others
the poets the poets
and so many others
and you and you and you
the friend the enemy the foe the rival
I slept peacefully
the bill has been paid
the friend who is paying
has money.

xxiii

Celestial streams
underground torrents
descend babbling
Street of Dreams, Omonia
Silva
S-i-l-v-a

---

11 Here Theodorakis is referring to fellow artists including three of Greece's best known poets (Seferis, Gatsos, Elytis), the painter Tsarouchis, and the composer Manos Hadzidakis.

δυο στρώματα πράσινα,
στη μέση εγώ,
κόκκινη ακρίδα
φτερά φυσαρμόνικες
ήχοι από νερό,
σαύρες, φεγγάρια
βουτούν, βυθίζονται, πνίγονται,
κάγκελα,
κάγκελα,
κάγκελα.
Σίλβα.

xxiv

Όταν εσύ φωνάζεις
εγώ κοιμάμαι
όταν εσύ πονάς
εγώ χασμουριέμαι
όταν εσύ σφαδάζεις
εγώ ξύνομαι.
Σεπτέμβριος
η μέρα δεκάτη έκτη
της Δημιουργίας
Διονύση!

xxv

Philothei Haidari,
their waters blond
two blond mattresses
two green mattresses
in the middle
am I, a red locust
wings harmonicas
sounds of water
lizards moons
dive, sink, drown
bars
bars
bars
Silva.

xxiv

When you shout
I sleep
when you are in pain
I yawn
when you toss and turn
I scratch myself
September
date, the sixteenth day
of Creation
Dionysis![12]

xxv

12 Theodorakis is referring to his fellow composer, Dionysis Savvopoulos, who was arrested on September 16, 1967 and held briefly in the same prison.

Στο τέταρτο πάτωμα
η μαμά σου κοιμάται
Έλενα
μουσική θεία τα όνειρά της, τα όνειρά της
τα όνειρά της Πεπίνο ντι Κάπρι.
πέρα από τη θάλασσα μην την ξυπνήσεις.

xxvi

Ή οδοντοστοιχία του Ήλιου με απειλεί
το κάγκελο του χρόνου με προστατεύει
ο Γιάννης, ο Ιάσων, ο Βύρων, ο Τάκης, ο Άλέκος
στα κατάρτια ψηλά υψώστε
στα κατάρτια ψηλά υψώστε
τα λεμόνια, τα πορτοκάλια υψώστε
τα πέδιλα στην άμμο, φωνές κρέμα νιβέα
ιππόκαμπος, πασιέντσες, νεσκαφέ,
σημαίες ακριβές από φτηνό ύφασμα κρατούν.

xxvii

Έκτη Σεπτεμβρίου
ώρα έντεκα πρωινή.
Τώρα λούζονται τα πουλιά
στα ποτάμια
στα έλατα τρίβονται
οι Βοριάδες.
Σε χτύπησε ο Τούρκος
στο Μπιζάνι

On the fourth floor
your Mama sleeps
Elena
her dreams, heavenly music
her dreams
Pepino di Capri
beyond the sea
don't wake her.

xxvi

The sun's dentures threaten me
the bars of Time protect me
Yannis Jason VyronTakis Alekos
hoist the lemons and oranges
high on the masts, raise
the sandals in the sand
voices Nivea cream
racetrack solitaire Nescafé
they hold precious flags made of cheap material

xxvii

September sixth
eleven o'clock in the morning
now the birds
are bathing in the river
the North winds are creaking in the firs
the Turk wounded you at Bizani.
Now you sit and watch me
you drink coffee

τώρα κάθεσαι και με κοιτάς
πίνεις καφέ,
στάζεις φαρμάκι,
αγάπη αγάπη

ο Ήλιος ψήνει
το σταφύλι
ώρα έντεκα πρωινή.

xxviii

Σουλεϊμάν ο Μεγαλοπρεπής,
Κωνσταντίνος ο Παλαιολόγος.
πάψε πια να φωνάζεις
λαθρέμπορος, λωποδύτης, νταβατζής
φωνητικές χορδές,
ο Αντρέας, ο Ηλίας, η Ανθή
λαρύγγι ζώου, λαρύγγι ανθρώπου
Αγια Σοφιά στίφη βαρβαρικά
το υγρόν πυρ,
ο Γέρος του Μοριά σκουλήκι.
Σε κάθε βήμα μου σκοντάφτω,
ζερβά θηρία του Βόρνεο,
δεξιά φλόγες στο Ναγκασάκι
μπροστά φουγάρα στο Μπούχενβαλντ
και πίσω το κελί του Μακρυγιάννη.
φάνω, κάτω, ανατολικά, δυτικά
μαχαίρια, μαστίγια, ακόντια, ορδές
ορδές αγίων, ορδές δαιμόνων
ορδές αγίων, ορδές στρατηγών
είμαι ραδίκι σπαρμένο στον κρατήρα.
αντίο Ήλιε
αντίο φως
καληνύχτα.

you drip poison
love love

the Sun bakes
the grape
eleven o'clock in the morning.

xxviii

Suleiman the Magnificent
Constantine Palaeologos
stop shouting
smuggler thief pimp
vocal chords
Andreas Ilias Anthi
animal larynx human larynx
St. Sophia barbarian hordes the liquid fire
the Old Man of Morea a worm
I stumble at every step
on the left beasts from Borneo
on the right flames of Nagasaki
ahead chimneys of Buchenwald
behind Makryiannis's cell
above below above below
east west hordes of saints
hordes of demons
hordes of saints
hordes of generals
I am a dandelion sown in a crater
good-bye Sun
good-bye Light
good night

xxix

Ανατολικά από τον Σείριο
περνούν οι ξανθές βροχές
κρατούν κίτρινες ομπρέλες
πράσινα γυαλιά ηλίου
μίνι φούστες φορούν
οι ξανθές βροχές του Σεπτεμβρίου
παρακάμπτουν τον Αρη
την ερχόμενη Τετάρτη
μπαίνουν στην τροχιά της Γης
Ανόι Ουάσιγκτον Μόσχα
η έρημος του Σινά
Αθήνα οδός Τοσίτσα
δυτικώς της Χίου
ανατολικώς της Κορίνθου
εντός εκτός
πεύκο βαθειά χαραγμένο
μίνι φούστες
πράσινα γυαλιά ηλίου
κίτρινες ομπρέλες κρατούν
οι ξανθές πρώιμες βροχές
ανατολικά από τον Σείριο
δυτικά από το κελί μου
του Σεπτεμβρίου.

xxx

Όταν τα Μετέωρα χορεύουν συρτάκι
σε αναγνωρίζω πατρίδα μου
όταν ο Αχελώος ξενυχτά στις ταβέρνες

xxix

East of Sirius
the blond rains pass by
they hold yellow umbrellas
they wear green sunglasses
mini-skirts
the pale rains of September
they skirt Mars
next Wednesday
they enter the orbit of Earth
Hanoi, Washington, Moscow
the Sinai Desert
Athens, Tositsa Street
west of Chios
east of Corinth
inside outside
a deeply lined pine
miniskirts
green sunglasses
they hold yellow umbrellas
the early pale rains
east of Sirius
west of my cell,
of September.

xxx

When the rocks of Meteora dance the syrtaki
I recognize you my country
when Achelous stays out all night at the taverns

όταν τα Λευκά Όρη κολυμπούν κρόουλ
όταν το Αιγαίο παίζει προπό
όταν οι Ρουμελιώτες χορεύουν τσάμικο
όταν το Κρητικό Πέλαγο βιάζει τη Μήλο
και όταν εγώ γράφω άτεχνους στίχους
τότε σε αναγνωρίζω
σε αναγνωρίζω πατρίδα μου.

xxxi

Οι εννέα Μούσες μένουν κοντά μου
μας χωρίζει ένας διάδρομος
δυο πόρτες τέσσερις φρουροί
Ντόρα Μαρία Τάκης
Άννα Τόνια Ρούσος
ίσως γνωρίζουν καλλύτερα
στοιχεία νούμερα διευθύνσεις
τεχνοτροπίες σχολές μουσεία
οι εννέα Μούσες μένουν κοντά στα Μουσεία
η Μουσική μένει κοντά στα Μουσεία
Μουσική Μούσες Μουσεία
τέλος πάντων
νοοτροπίες τεχνοτροπίες
δοκιμάζονται
βροχή σκόνη ήλιος γέλιο
ένα απέραντο κονσερβατουάρ
πιάνα σολφέζ ωδική
οι εννέα Μούσες πλένονται
χτενίζονται ξαπλώνουν
χτυπούν να τις ανοίξουν
Πίνδαρος Αισχύλος
Μότσαρτ Σοπέν
οι φρουροί

when the White Mountains swim the crawl
when the Aegean plays the lottery
when the Roumeliots dance their tsamikos
when the Cretan Sea rapes Milos
and when I write crude verses
then I recognize you
I recognize you my country.[13]

xxxi

The nine Muses are staying near me
a corridor separates us
two doors four guards
Dora Maria Takis
Anna Tonia Rousos
perhaps they know better
particulars numbers addresses
techniques schools museums
the nine Muses stay close to the Museums
Music stays close to the Museums
Music Muses Museums
at any rate
mentalities techniques are tested
rain dust sun laughter
a vast conservatory
pianos solfège singing
the nine Muses wash themselves
comb their hair lie down
they knock so that someone will open the door
Pindar Aeschylus

13 Tsamikos and syrtaki are both names of Greek dances, the tsamikos being associated particularly with the region of Roumeli and northern Greece. "The rocks of Meteora" refers to the dramatic rock formations of that region in central Greece. The Archelous is a well-known Greek river.

τις οδηγούν
μία μία
στο μέρος.

xxxii

Μενεξεδένια Πολιτεία
στείλε μου το χέρι σου να μου χαϊδέψει τα μαλλιά
στείλε μου τη φωνή σου να μου κοιμίσει τα όνειρα
δείξε μου το πρόσωπό σου
να δω το μπόι μου
την αρχοντιά μου
αρχόντισσά μου
από τον Οιδίποδα και τον Ανδρούτσο
άλλος κανένας
δεν σε αγάπησε
όσο εγώ.

Mozart Chopin
the guards
accompany them
one at a time
to the toilet.

xxxii

Violet city
send me your hand to caress my hair
send me your voice to put my dreams to sleep
show me your face
so I can see my own stature
my nobility
my noble mistress
from Oedipus to Androutsos
no-one has loved you
as I do

Εξορία στην Αρκαδία: Ζάτουνα
1968-1969

Exile in Arcadia: Zatouna
1968-1969

August, 1968. *It is perched on Mt. Menalon, which symbolically seems to clasp the village to its bosom. The mountain rises in front of us, majestic and surrounded by olive trees. I now understand the choice of Zatouna; it is a natural fortress. Access is very difficult.*

Journals of Resistance, 214

They carried the piano first. The whole village helped to get it up to my room. For five months — one hundred and fifty days — I looked at it and didn't touch it. The collar around my neck was choking me. The measure they took, idiotic. My nerves taut. My heart was in pain.

The Debt. Zatouna, 1968

Τραγούδια για τον Ανδρέα

Songs for Andreas

Athens 1968

On my way to the toilet I peeped through the spyhole of Cell no. 4, which was next door. I recognized Andreas Lentakis, a former Lambrakis Youth leader... Back in my cell I squared off some paper so we could communicate in morse code...First you tap out the number of the row of letters, then the number of the letter within the row. On my way back to the toilet in the evening, I threw the piece of paper through the spyhole...So we were able to start a long dialogue through the wall. Andreas told me of his arrest, his interrogation and his tortures. On the terrace...

Journals of Resistance, 190-91

i

Είσαι Έλληνας

Αυτό που ήσουν κάποτε θα γίνεις ξανά
πρέπει να γίνεις, πρέπει να κλάψεις.

Ο εξευτελισμός σου να γίνει τέλειος.
Η εκπόρθηση να φτάσει ως τις ρίζες των βουνών

Είσαι Έλληνας, είσαι Έλληνας.
Πίνεις την προδοσία με το γάλα,
πίνεις την προδοσία με το κρασί.
Ο εξευτελισμός σου να γίνει τέλειος.

Πρέπει να δεις, πρέπει να γίνεις,
αυτό που ήσουν κάποτε θα γίνεις ξανά

ii

Είμαστε δυο

Είμαστε δυο, είμαστε δυο,
η ώρα σήμανε οχτώ
κλείσε το φως
χτυπά ο φρουρός,
το βράδυ θα 'ρθουνε ξανά
ένας μπροστά, ένας μπροστά
κι οι άλλοι πίσω ακολουθούν
μετά σιωπή και ακολουθεί το ίδιο τροπάριο το γνωστό.
Βαράνε δυο

i

You Are Greek

What you were once you will be again
you must become, you must weep.

So your humiliation can be complete,
so your conquest reaches the roots of the mountains.

You are Greek, you are Greek,
you drink betrayal with your milk,
you drink betrayal with your wine,
so that your humiliation can be complete.

You must see,
you must become.

What you were once
you will be again.

ii

We Are Two

We are two, we are two, the clock strikes eight
turn off the lights, the guard knocks, tonight they'll come again
one in front, the others behind
then silence and the same old story.
They strike twice, they strike three times, a thousand and thirteen;
you are in pain and so am I, but which of us suffers more
only time will tell.

βαράνε τρεις,
βαράνε χίλιοι δεκατρείς
πονάς εσύ πονάω εγώ,
μα ποιος πονάει πιο πολύ
θά 'ρθει καιρός να μας το πει.

Είμαστε δυο, είμαστε τρεις,
είμαστε χίλιοι δεκατρείς
καβάλα πάμε στον καιρό
με την βροχή
το αίμα πήζει στην πληγή
ο πόνος γίνεται καρφί.

Ο εκδικητής
ο λυτρωτής
είμαστε δυο
είμαστε τρεις
είμαστε χίλιοι δεκατρείς.

iii

Καιρός να δεις (Σου είπαν ψέματα πολλά)

Σου είπαν ψέματα πολλά,
ψέματα σήμερα σου λένε ξανά
κι αύριο ψέματα ξανά θα σου πουν,
ψέματα σου λένε οι εχθροί σου
μα κι οι φίλοι σου, σου κρύβουν την αλήθεια

Ψεύτικη δόξα σου τάζουν οι ψεύτες
μα κι οι φίλοι σου με ψεύτικες αλήθειες σε κοιμίζουν
πού πας με ψεύτικα όνειρα;
πού πας με ψεύτικα όνειρα;

We are two, we are three, we are a thousand and thirteen
we ride on into time
in time, with the rain the blood clots on the wound
and pain becomes a nail.

Avenger
savior,
we are two
we are three
we are a thousand and thirteen.

iii

Time to See

They told you a pack of lies
they tell you lies again today
and tomorrow they'll tell you lies again.
Your enemies tell you lies
but even your friends hide the truth from you.

Liars promise you false glory
but your friends lull you to sleep with false truths.

Where are you going with false dreams?
It's time to stop,

Καιρός να σταματήσεις,
καιρός να τραγουδήσεις,
καιρός να κλάψεις και να πονέσεις,
καιρός να δεις.

iv

Το σφαγείο

Το μεσημέρι χτυπάνε στο γραφείο
μετρώ τους χτύπους τον πόνο μετρώ
είμαι θρεφτάρι μ' έχουν κλείσει στο σφαγείο
σήμερα εσύ αύριο εγώ.

Χτυπούν το βράδυ στην ταράτσα τον Ανδρέα
μετρώ τους χτύπους το αίμα μετρώ
πίσω απ' τον τοίχο πάλι θά 'μαστε παρέα
τακ τακ εσύ, τακ τακ εγώ.

που πάει να πει
σ' αυτή τη γλώσσα τη βουβή
βαστάω γερά, κρατάω καλά

Μες στις καρδιές μας αρχινάει το πανηγύρι
τακ τακ εσύ, τακ τακ εγώ.

Μύρισε το σφαγείο μας θυμάρι
και το κελί μας κόκκινο ουρανό.

time to sing,
time to weep and suffer,
time to see.

iv

The Slaughterhouse

At noon they beat someone in the office
I count the blows, I measure the blood
I am the fattened beast, they've shut me in the slaughterhouse
today you, tomorrow, me.

They beat Andreas on the terrace
I count the blows, I measure the pain.
We'll meet again behind the wall;
tap-tap, you, tap-tap, me

Which means
in this dumb language,
I'm holding on, I'm holding on well.

In our hearts the feast begins:
tap-tap you, tap-tap, me.

Our slaughterhouse smelled of thyme
and our cell, red sky.

Αρκαδία 1

i. Ω βουνά πανάρχαια

Ω βουνά παρνάρχαια, της Αρκαδίας, βουνά,
βουνά περήφανα, βουνά ανυπόταχτα, τίμια βουνά.
Η τιμή ακρίβυνε, η τιμή λιγόστεψε, η τιμή πέθανε.
Ένα παιδί πονάει, το δικό μου παιδί
κι' εγώ δεμένος κοιτάζω τα έλατα.
Άλλη επλίδα δεν έχω από τα δέντρα.

ii. Ο γιος μου είναι εννιά χρονών

Ο γιός μου είναι εννιά χρονών
εννιά χειμώνες, εννιά καλοκαίρια
του βάλαμε στο βλέμμα κεραυνό
τις θάλασσες κρατά στα δυο του χέρια.

Τα χέρια του το σήκωσαν ψηλά
την πλάτη του κολλήσανε στον τοίχο
μετράνε της ανάσας του τον ήχο
κι ανασκαλεύουν τη μικρή του την καρδιά

Να ζούσαμε σε γκέτο Εβραϊκό
γύρω Γερμανούς φρουρούς θηρία
Ζάτουνα εννιακόσια εξήντα οκτώ
την τρίτη μου περνάμε εξορία.

Arcadia I

i. Oh Ancient Mountains

Oh ancient mountains, mountains of Arcadia, proud
mountains, intractable mountains,honorable mountains.
Honor became dear, honor became scarce, honor is dead.

A child suffers, my child,
and fettered, I look at the fir trees;

I have no other hope except the trees.

ii. My Son is Nine Years Old

My son is nine years old,
nine winters nine summers
we put thunder in his gaze
he holds the seas in his two hands.

He raises his hands high
his back pressed to the wall
they measure the sound of his breath
and poke about in his small heart.

As if we were living in a Jewish ghetto
with monstrous German guards all around.
Zatouna nineteen sixty-eight:
we are living my third exile.

iii. Ψηλά στης Ρωσίας τα χιόνια

Ψηλά στης Ρωσίας τα χιόνια,
εκεί που φυσάει ο βοριάς,
το ξανθό γένος να 'θει αιώνια
προσμένει ο δόλιος ο ραγιάς.
Άγάπες, τραγούδια, λουλούδια
μας στέλνουν και λόγια καυτά
στου Φάληρου μπρος τα μουσούδια
οι άλλοι μας στέλνουν θωρηκτά.

Ραγιάδες πονούν και στενάζουν,
πάει και τούτη η γενιά
παράδεισο όλοι μας τάζουν στα 1999.

iv. Στη Δύση (Η κοινωνία της καταναλώσεως)

Η ακοή σου Δύση βούλωσε,
η όρασή σου Δύση σκεπάστηκε
η κοινωνία της καταναλώσεως
πέπλο βαρύ σκεπάζει την ακουή σου
σκεπάζει την όρασή σου, σκεπάζει την ψυχή σου.

Ο πολιτισμός σου ερείπια που καπνίζουν
τα λόγια σου κουνούπια που πετούν
πάνω από τα έλη της βιομηχαντικής σου παραγωγής
κουβαλούν πυρετό, ψέμα, υποκρισία.

Πεντακόσιες χιλιάδες νεκροί Ινδονήσιοι,
στην Ευρώπη στρατόπεδα συγκεντρώσεως,
πλάι στην Ακρόπολη εξορίες.

Όμως εσύ δεν ακούς
όμως εσύ δεν βλέπεις

iii. High in the Snows of Russia

High in the snows of Russia
where the north wind blows
the poor serf has been waiting for centuries
for the blond race to come.

They send us love, songs,
flowers and burning words.
Others send men-o-war
to the snouts of Phaleron.

Slaves suffer and sigh,
this generation's finished too.
They all promise us paradise in 1999.

iv. In the West (The Consumer Society)

West, your hearing is blocked,
West, your vision is obscured;
the consumer society's heavy veil
has blocked your hearing,
covered your sight, covered your soul.

Your civilization is smoking ruins,
your words, mosquitoes that fly
over the swamps of your industrial production
carrying fever, lies, hypocrisy.

Five hundred thousand dead Indonesians,
concentration camps in Europe,
exiles beside the Acropolis.

But you don't hear,

πάνω σε μοντέλο 1969
τρέχεις με 200 χιλιόμετρα
προς το θάνατό σου.

v. Είμαι Ευρωπαίος

Είμαι Ευρωπαίος έχω δυο αυτιά
το ένα για ν' ακούει το άλλο δε γροικά.

Αν στενάξει Τσέχος, Ρώσος, Πολωνός
ο άνθρωπος πονάει, πέφτει ο ουρανός.

Αν πονέσει μαύρος, Έλληνας, Ινδός
εμένα τι με νοιάζει ας νοιαστεί ο Θεός...

(Εκεί ψηλά στον Υμηττό, υπάρχει κάποιο μυστικό.)

Είμαι Ευρωπαίος, έχω δυο αυτιά
το ένα μόν' ακούει απ' τ' ανατολικά.

Την πόρτα μου χτυπάει και πάλι ο φασισμός
όμως σε τέτοιους ήχους είμαι εντελώς κουφός.

Έχω ένα αυτί μεγάλο τ' άλλο πολύ μικρό
κι έτσι ήσυχος τρυγάω χαρά, πολιτισμό.

you don't see.
On a 1969 model,
you ride at 200 kilometers per hour
towards your death.

v. I'm European

I'm European, I have two ears,
one to hear with, the other to listen.

If a Czech, a Russian, or a Pole sighs
mankind suffers, the sky falls.

If a Black, a Greek, an Indian suffers
it doesn't bother me! Let God worry about it.

(High up there on Hymettos, there's a secret).

I'm European, I have two ears
one only hears from the East.

Fascism knocks again on my door
but I'm completely deaf to such sounds.

I have one big ear, the other's very small
and so I calmly reap joy, civilization.

Αρκαδία VI

i. **Θούριον**

Μεγαλοπρεπή βουνά αγκαλιάζουν,
βράχους, γκρεμούς, ανθρώπους, έλατα.
Είδαν φουσάτα Τούρκων κι άλλων νικηφόρα,
πτώματα ηρώων εδέχθησαν και βλαστήμιες γενναίων.
Μένουν τα δέντρα που σκίασαν τον ύπνο του πέρδικα
κι ο κούκος που δεν άκουσε ο Κολοκοτρώνης
ήρθε και φώλιασε στη Ζάτουνα.
Μάταια οι φρουροί μου
προσπαθούν να εγκλωβίσουν το τραγούδι μου,
οι χαράδρες το παίρνουν στους ώμους
και γρήγορα τ' οδηγούν στους ελαιώνες.
Είναι πανύψηλα τα βουνά της Αρκαδίας.
εξουσιάζουν τις θάλασσες
και το σουραύλι του Πάνα σκεπάζει τα γρυλίσματα των στρατώνων.
Βόες, ουρακοτάνγκοι, μαϊμούδες
τιβένους φορούν
κρατούν σκήπτρα.
αρχιεπίσκοποι κι αρχιστράτηγοι
«αέρα» φωνάζουν
και υψώνονται πίσω τους
πτερά ορνίθων.

Έντρομοι ήρωες εγκαταλείπουν τα μάρμαρα,
δραπετεύουν από τους στίχους των ποιητών
καταφεύγουν ξανά στις όχθες του Λούσιου
στις πηγές του Μαινάλου
μοιράζονται τους ίσκιους με τον κορυδαλό.
Μένουν τα δέντρα που σκίασαν τον ύπνο του πέρδικα.
Βουνά θεματοφύλακες της αντριωσύνης σου πατρίδα.

Arcadia VI

i. **Battle-hymn**

Majestic mountains embrace
 the rocks, ravines, people, fir trees.
They have seen hordes of Turks and others, conquerors;[14]
 they received the bodies of heroes
 and the curses of the brave.
They are still here, the trees that shaded
 the sleep of Perdikas[15]
and the cuckoo that Kolokotronis[16] never heard
has come to nest in Zatouna.
 In vain the guards try to cage my song[17];
the ravines carry it on their shoulders
and swiftly lead it to the olive groves.

 The mountains of Arcadia are so tall
 they dominate the sea
and Pan's pipes drown out the snarls of the barracks.
 Boa constrictors, orangutans, monkeys,
 they wear togas, carry scepters

archbishops and commanders-in-chief shout "Forward"[18]
and birds' wings rise behind them.

14 In 1949, when the Democratic Army retreated to the north of Greece, the rebels who found themselves in the Peloponnese were completely surrounded and killed by the Royalist forces. As many as 12,000 men died in a few weeks.
15 Perdikas was the code name of a left-wing guerrilla fighter during the Civil War. He was decapitated by the Royalists.
16 Kolokotronis was a hero of the Greek War of Independence. A shepherd Theodorakis met in Zatouna used to sing a song about a cuckoo greeting the day of liberation that Kolokotronis was waiting for.
17 Theodorakis composed ten cycles of songs while under house arrest in Zatouna and managed to smuggle all of them out to Athens.
18 At the beginning of 1969 Papadopoulos made a speech to Greek scientists, saying "You're the infantry and I'm your leader. When I shout 'Aera' (Forward!), you will surge forward behind me!"

ονειρό σας το Θούριο
και τραγούδι σας το ντουφέκι.

ii. Στον άγνωστο ποιητή

Ρήγα Φεραίε σε σε κράζω.
Από την Αυστραλία στον Καναδά
κι από τη Γερμανία στην Τασκένδη,
σε φυλακές, σε βουνά και σε νησιά,
διασκορπισμένοι οι Έλληνες.

Διονύσιε Σολωμέ σε σε κράζω.
Κρατούμενοι και κρατούντες,
δέροντες και δερόμενοι,
διατάσσοντες και διατασσόμενοι,
τρομοκρατούντες και τρομοκρατούμενοι,
κατέχοντες και κατεχόμενοι,
διηρημένοι οι Έλληνες.

Αντρέα Κάλβε σε σε κράζω.
Λαμπερότατος ήλιος απορεί,
απορούν τα βουνά και τα έλατα,
οι ακρογιαλιές και τ' αηδόνια,
λίκνο ομορφιάς και μέτρου η πατρίς μου,
σήμερα τόπος θανάτου.

Κωστή Παλαμά σε σε κράζω!
Ποτέ άλλοτε τόσο φως δεν έγινε σκότος

Terrified heroes abandon the marbles
run away from the verses of poets
hide again on the banks of the Lousios,[19] in the springs of Mainalos
sharing the shadows with the larks.
Mountain guardians of your valor, my Homeland
the battle-song is your dream and the rifle, your song.

ii. To the Unknown Poet

Righas Pheraios, I call on you, you!
From Australia to Canada
and from Germany to Tashkent
in prisons, in the mountains and islands
the Greeks are scattered.

Dionysios Solomos, I call on you, you!
Jailed and jailors
beaten and beaters
commanded and commanders
terrorizers and terrorized
occupiers and occupied
divided in two, the Greeks.

Andreas Kalvos, I call on you, you!
Brilliant, the sun marvels,
the mountains and the firs
the shores and the nightingales marvel.
Cradle of beauty and measure, my homeland
is now a place of death.

Kostas Palamas, I call on you, you!
Never was so much light turned to darkness,

19 Zeus is said to have bathed in the River Lousios that flows between Dimitsana and Zatouna before descending to the plain of Megalopolis.

τόση ανδρεία φόβος
τόση αδυναμία η δύναμη
τόσοι ήρωες μαρμάρινες προτομές
πατρίς του Διγενή και του Διάκου η πατρίς μου.
Σήμερα χώρα υποτελών.

Νίκο Καζαντζάκη σε σε κράζω.
Όμως αν λησμονούν οι θνητοί
που μιλούν ακόμα τη γλώσσα του Ανδρούτσου,
η μνήμη κατοικεί πίσω από τα σίδερα και τις σκοπιές,
η μνήμη κατοικεί μέσα στα λιθάρια,
φωλιάζει στα κίτρινα φύλλα
που σκεπάζουν το κορμί σου Ελλάδα!

Άγγελε Σικελιανέ σε σε κράζω!
Η ψυχή της πατρίδας μου
είσαι σύ πολύμορφο ποτάμι,
τυφλό από το αίμα
κουφό από το βόγγο,
ανήμπορο από το μέγα μίσος
και τη μεγάλη αγάπη
που εξίσου εξουσιάζουν την ψυχή σου.
Η ψυχή της πατρίδας μου είναι
δυο χειροπέδες
σφιγμένες σε δυο ποτάμια.
Δυο βουνά
δεμένα με σκοινιά
στον πάγκο της ταράτσας.
Ο Αργίτικος κάμπος
φουσκωμένος από το μαστίγιο
και ο Όλυμπος κρεμασμένος πισθάγκωνα
από το κατάρτι του αεροπλανοφόρου
για να ομολογήσει.

so much bravery to fear,
strength to weakness,
so many heroes turned to marble busts.
Birthplace of Digenis and Diakos[20], my fatherland
now a land of slavery.

Nikos Kazantzakis, I cry out to you!
But if mortals who still speak
Androutsos' tongue forget
then memory lives behind iron bars and sentry posts
memory lives in the stones
it nests in the yellow leaves
that cover your body, Greece.

Angelos Sikelianos, I call on you, you!
You are the soul of my homeland
polymorphic river
blind with blood
deaf with moans
incapacitated by hatred
and the great love
that jointly rules your soul.

The soul of my country is two handcuffs
squeezed into two rivers
two mountains bound with ropes
on the terrace bench.[21]
The Argive plain swollen from whipping
and Olympus hanging from the mast of the aircraft carrier
hands tied behind its back
until it confesses.

20 Legendary Greek heroes. Digenes Akritas is featured in many folk songs from the Byzantine period on. Diakos was the hero of a well-known poem by Valaoritis.
21 A reference to the terrace of Bouboulinas Prison, in Athens, where prisoners were tortured.

Η ψυχή της πατρίδας μου
είναι αυτός ο σπόρος
π' άπλωσε ρίζες
πάνω στο βράχο.
Είσ' εσύ μάνα, γυναίκα, κόρη,
που αγναντεύεις τη θάλασσα και τα βουνά
και κρυφά βάφεις με αίμα
τα κόκκινα αυγά της Αναστάσεως
που εγκυμονούν οι καιροί και οι άντρες.
Άμποτε νά 'ρθει στη δύστυχη χώρα μου,
Πάσχα Ελλήνων.

Άγνωστε ποιητή σε σε κράζω!

The soul of my homeland is this very seed
that spread roots on the rock.
You are mother, wife, daughter
looking out over the sea and the mountains
and secretly dyeing, with your blood
the red eggs of the Resurrection
fertilized by the times and by men.

If only the Easter of the Greeks
would come to my unhappy land!

Unknown poet, I call on you, you!

Αρκαδία x

1969

i. Ονομάζομαι Κώστας Στεργίου

Ονομάζομαι Κώστας Στεργίου
προέρχομαι από τους Βησιγότθους,
Οστρογότθους, Μαυρογότθους.
Κατοικώ σε σπήλαια
λαξεύω ρόπαλα
πίνω νερό σε κρανία.
Επάγγελμά μου ο θάνατος.
Όμως προσωρινώς υπηρετώ
το μεγάλο Δράκο
που με έχει αποσπάσει στην Αρκαδία.
Πάνω απ' το δέρμα μου
φορώ στολή
στους ώμους έχω αστέρια,
κρύβω το ρόπαλο επιμελώς
μέσα στη χλαίνη.
Ονομάζομαι Κώστας Στεργίου
προέρχομαι από τους Μαμελούκους
Μαυρολούκους, Σουσουλούκους.
Είμαι διασταύρωση
Νεάντερνταλ και λύκου.
Όμως σήμερα, προσωρινώς,

Arcadia X

1969

When I wake up I go over to the piano and write a song, "My Name is Kostas Stergiou." I tell the guards to come and listen to it. I see their faces light up. Now everyone in the village –including the police—hates and despises Kostas Stergiou. Journals, 299.

i. My Name is Kostas Stergiou[22]

My name is Kostas Stergiou
descendant of the Vizigoths
the Ostragoths, the Mavrogoths.
I live in caves,
I trim clubs,
I drink water out of skulls.
My profession is death
but for the time being I'm serving
the big dragon who has sent me
to Arcadia.
Over my skin
I wear a uniform,
I have two gold stars on my shoulders,
I hide my club carefully
under my cloak.
My name is Kostas Stergiou,
descendant of the Marmelukes,
Mavrolukes and Sosolukes;
I'm a cross between

22 In September, 1969, Theodorakis was granted permission to send his family, all of whom were suffering from depression, from Zatouna home to Athens. The commander of the guard ordered that Myrto and the children be searched and forbad Theodorakis to say good-bye to his family.

κυκλοφορώ με τζιπ.
Τρομοκρατώ παιδιά και γυναίκες.
Έχω ειδικότητα στο ψάξιμο
ψάχνω ψυχές παιδιών
και σταλάζω το φόβο
επιβάλλω το Νόμο
το Νόμο του μεγάλου Δράκου
που μ' έχει αποσπάσει, προσωρινώς
στην Αρκαδία.

ii. Είχα τρεις ζωές

Είχα τρεις ζωές
τη μια την πήρε ο άνεμος,
τη άλλη οι βροχές
κι η τρίτη μου ζωή
κλεισμένη σε δυο βλέμματα
πνίγηκε μες στο δάκρυ.
Έμεινα μόνος
χωρίς ζωή, χωρίς ζωές,
την μια την πήρε ο άνεμος
την άλλη οι βροχές.
Έμεινα μόνος, εγώ κι ο Δράκος
στη μεγάλη σπηλιά.
Κρατώ ρομφαία, κρατώ σπαθί.
Εγώ θα σε πνίξω, εγώ θα σε σκοτώσω,
εγώ θα σε σβήσω, εγώ θα σε τινάξω
πάνω απ' τη ζωή μου.
Γιατί έχω τρεις ζωές.
Η μια για να πονάει,
η άλλη για να θέλει,
κι η τρίτη για να νικά.

Neanderthal and wolf
but for the time being I ride in a jeep
terrorizing women and children.
I'm a specialist in searching —
I search for children's souls
and distill fear.
I impose the law
the law of the big Dragon
who has sent me, for the time being,
to Arcadia.

ii. I Had Three Lives

I had three lives;
the wind took one
the rain the other
and my third life
shut in behind two eyelids
was drowned in tears.

I was left alone
without a life, without lives
the wind took one
the rain the other

I was left alone
I and the Dragon
in the great cave.

I hold a scimitar
I hold a sword
I'll drown you
I'll kill you

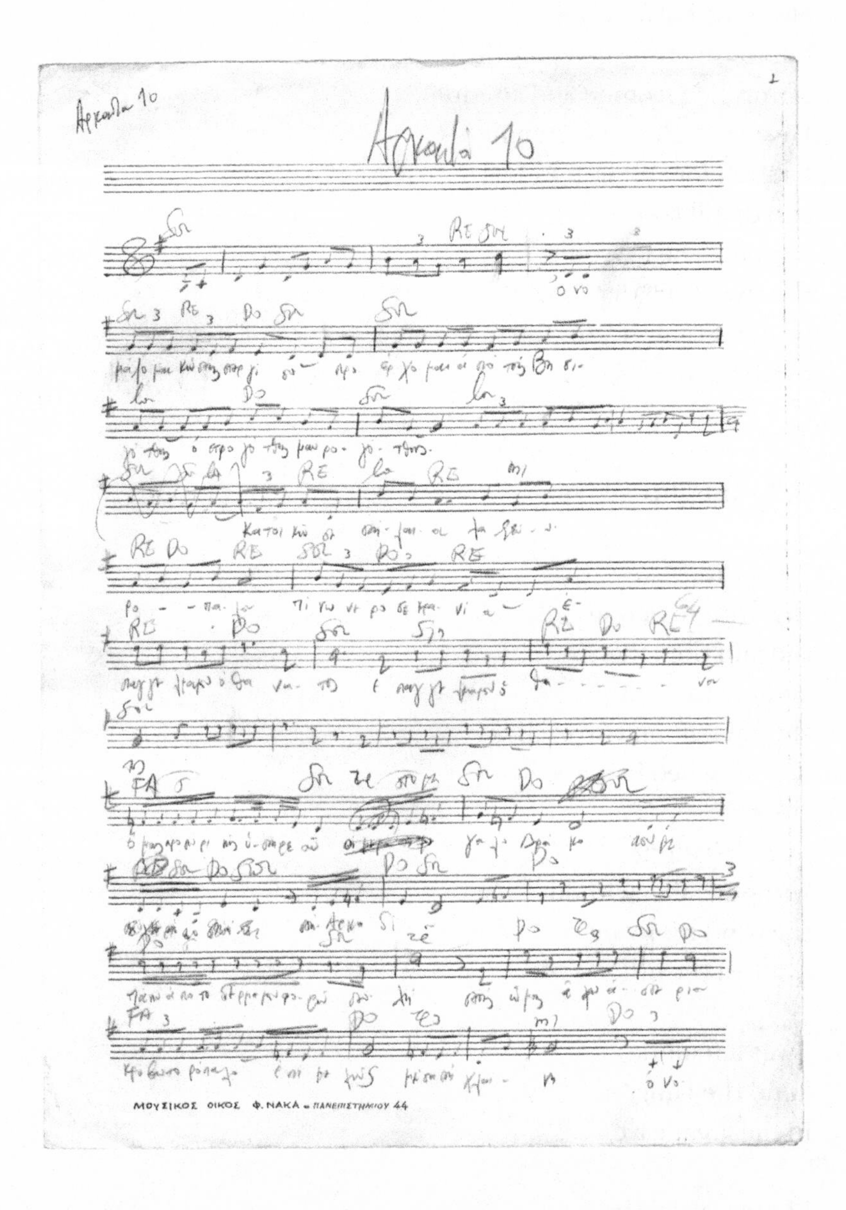

Manuscript of *Arcadia* X, composed in Zatouna in 1969.

I'll wipe you out
I'll fling you
over my life.

Because I have three lives
one to suffer with, one to wish with
and the third to win with.

Τραγούδια του αγώνα
1968-1970

Songs of Struggle
1968-1970

Όταν χτυπήσεις δύο φορές

Όταν χτυπήσεις δυο φορές
ύστερα τρεις και πάλι δυο
Αλέξανδρέ μου
Θα 'ρθω για να σ' ανοίξω
Θα σου 'χω φαγητό ζεστό
Θα σου 'χω ρούχο καθαρό
Γωνιά για να σε κρύψω.

Όταν χτυπήσεις δυο φορές
ύστερα τρεις και πάλι δυο
Αλέξανδρέ μου
θα δω το πρόσωπό σου
Στα μάτια κρύβεις δυο φωτιές
στα στήθη σου χίλιες καρδιές
μετράνε τον καημό σου.

Όταν χτυπήσεις δυο φορές
ύστερα τρεις και πάλι δυο
Αλέξανδρέ μου
σκέφτομαι το φευγιό σου.
Σε βλέπω σε κελί στενό
να σέρνεις πρώτος το χορό
πάνω στο θάνατό σου.

When You Knock Twice

When you knock twice
then three times and again two
Alexander,[23] my friend,
I'll come to open the door for you
I'll have hot food for you
I'll have clean clothes for you
a corner to hide you.

When you knock twice
then three times and again two
Alexander, my friend,
I'll see your face;
in your eyes you hide two fires
in your breast a thousand hearts
measure your pain.

When you knock twice
then three times, and again two
Alexander, my friend,
I think of your escape
I see you in your narrow cell
leading off the dance
over your death.

---

23 A young mathematics student, Alekos Panagoulis, made an abortive attempt to assassinate Colonel Papadopoulos in 1968. He was arrested and tortured constantly for months before his release following an international campaign of protest against his death sentence.

Ωρωπός
(1969-70)

Oropos
(1969-1970)

In October, 1969, Theodorakis was transferred to the prison camp of Oropos, on the coast of Attica.

At first I feel strangely free. I can walk about without having a guard on my heels. The sea shimmering the distance. There is a garden with flowers and vegetables... Then, fairly quickly, the climate, the horizon changes. The sea becomes a frontier. A barrier. The camp contracts before my eyes. The barbed wire grows higher.

Journals, 308.

Διότι δε συνεμορφώθην προς τας υποδείξεις.

Πέρα απ' το γαλάζιο κύμα
το γαλάζιο ουρανό
μια μανούλα περιμένει
χρόνια τώρα να τη δω.
Διότι δε συνεμορφώθην προς τας υποδείξεις.

Χρόνος μπαίνει, χρόνος βγαίνει
μες στο σύρμα περπατώ
θα περάσουν μαύρες μέρες
δίχως να σε ξαναδώ.
Διότι δε συνεμορφώθην προς τας υποδείξεις.

Αλικαρνασσός, Παρθένι,
Ωρωπός, Κορυδαλλός
ο λεβέντης περιμένει
της ελευθεριάς το φως.
Διότι δε συνεμορφώθην προς τας υποδείξεις.

Because I did not conform...

Beyond the blue sea, the blue sky
A mother is waiting; it's years, now, since I saw her
because I did not conform to regulations.

Time comes, time goes, I walk behind the barbed wire.
Black days will pass before I see you again
because I did not conform to regulations.

Halicarnassos, Partheni, Oropos, Korydalos,
the fearless young man waits for the light of freedom
because I did not conform to regulations.

Μην ξεχνάς τον Ωρωπό

Ο πατέρας εξορία
και το σπίτι ορφανό
ζούμε μες στην τυραννία
στο σκοτάδι το πηχτό.
Κι εσύ λαέ βασανισμένε, μην ξεχνάς τον Ωρωπό.

Κλαίει κι η μάνα τώρα μόνη
κλαιν τα δέντρα, τα πουλιά
στην πατρίδα μας νυχτώνει
ορφανή η αγκαλιά.
Κι εσύ λαέ βασανισμένε, μην ξεχνάς τον Ωρωπό.

Μες στα σύρματα κλεισμένοι
μα η καρδιά μας πάντα ορθή
πάντα ο ίδιος όρκος μένει
λευτεριά και προκοπή.
Κι εσύ λαέ βασανισμένε, μην ξεχνάς τον Ωρωπό.

Don’t Forget Oropos

The father in exile, the house bereft,
we live in tyranny, in thick darkness.
And you, tortured people, don’t forget Oropos.

The mother cries alone, the trees and birds weep;
in our homeland night is falling, empty embrace.
And you, tortured people, don’t forget Oropos.

Penned behind barbed wire, our hearts still sound
always the same vow, freedom and progress.
And you, tortured people, don’t forget Oropos.

Ποιήματα της τέταρτης εξορίας:
Παρίσι, Λατινική Αμερική, Καναδά, ΗΠΑ, Μεξικό
1970-1979

Poems of the Fourth Exile: Paris, South America, Canada, USA, Mexico
1970-1979

Η φωνή της σιωπής

Ο ήλιος μεθυσμένος
η γη κομματιασμένη
σαν αρχαίο ναυάγιο
και πάλι το κενό
με τη γεύση της πληρότητας.

Ορφανός ο χρόνος
προσεύεται σιωπηλός μια φωνή
η μοναδική
που βγήκε από τη σιωπή
γιατί δε θίγει τη σιωπή.

Αρχαίο ναυάγιο
σαν τ' άστρα τα ντροπαλά – τα πληγωμένα
από το κενό
το κενό με την πληγή της πληρότητας
μεθυσμένη από τη φωνή
τη φωνή της σιωπής.

Μπουένος Άιρες, 1973

The Voice of Silence

The sun drunk
the earth shattered
like an ancient shipwreck
and once again the emptiness
with the taste of fullness.

Time an orphan
a voice prays silently
the only voice
to emerge from the silence
because it doesn't touch the silence.

Ancient shipwreck
like the bashful stars - wounded
by the emptiness
the emptiness with the soul of fullness
drunk on the voice
the voice of silence.

Buenos Aires, 1973

Νεκρή Εποχή

Μπουένος Άιρες, 1973

Χάσαμε τα χρόνια, τις εποχές, τις ιδέες, την αληθινή ευτυχία, που έφυγαν από μπροστά μας, χάθηκαν στον μέλλοντα χρόνο και μας άφησαν ορφανούς και γυμνούς στην παγωνιά της νύχτιας εποχή μας.

Παρίσι, 1995

i

Η μεγάλη λεωφόρος η μεγάλη λεωφόρος
γεμάτη χορτάτους απαστράπτουσα
δεξιά τα λεωφορεία αριστερά οι πεζοί
οι υπόνομοι στη σειρά περιμένουν πτύελα
και κατουρήματα μελλοθάνατων σκυλιών
οι μελλοθάνατοι πεζοί αγοράζουν θάνατο
παγωτά πασατέμπο προφυλακτικά
εκεί ακριβώς κάτω από την επιγραφή
«Κατάστημα Υποδημάτων»
σταμάτησα αιφνιδίως κοιτάζοντας
ή μάλλον χωρίς να κοιτάζω τίποτε το συγκεκριμένο
κοιτάζοντας ίσως μέσα μου
και μη βρίσκοντας τίποτα
απολύτως τίποτα
ούτε φώτα ούτε βιτρίνες ούτε ρεκλάμες
ούτε ακόμα και υπονόμους
σκέφτηκα το μεγάλο λάθος
το μεγάλο λάθος είναι ότι σκέφτηκα
τη μεγάλη λεωφόρο τη μεγάλη λεωφόρο
το λεωφορείο τους καλούς τους σκύλους
και τους μελλοθάνατους

Dead Season

Buenos Aires, 1973

We lost the years, the season, the ideas, beauty and truth, true happiness — all of these disappeared before our eyes, became lost in future time, and left us bereft and naked in the freezing cold of our age of night.

Paris, 1995

i

The great avenue, the great avenue
full of well-fed people was shining
on the right the buses, on the left, the pedestrians
the gutters in their turn waiting for spit
and the pee of moribund dogs
the moribund pedestrians buying death
ice-creams pumpkin seeds condoms
right there under the sign
"Shoe Shop"
I stopped suddenly to look
or rather without looking at anything in particular
maybe looking inside myself
and not finding anything
nothing at all
not lights nor shop windows nor sales
not even gutters
I thought about the great mistake
the great mistake is that I thought
the great avenue the great avenue
the bus the dogs
and the moribund.

ii

Είναι η εποχή μας κολοβή * ξεκίνησε περήφανη σαν παγώνι
με σημαίες και με ταμπούρλα
ανέπνευσε έως θανάτου * σκόρπισε γιασεμί και μέλι
εθώπευσε γοήτευσε εμέθυσε
πλήθη πρώην σκλάβων * και νυν αιχμαλώτων
εξηπάτησε.

iii

Ο άλλος που ήμουν εγώ έγινα ξανά ο ίδιος
τη στιγμή που σε γνώρισα
δηλαδή όταν πίστεψα ότι σε γνώρισα
ενώ στην πραγματικότητα ζούσα το όνειρο
ενός Κύκλωπα
ερωτευμένου.

iv

Δεν με πίστεψες * κι αυτό το βρίσκω φυσικό
γιατί ξέρω πως η φωνή μου * χάνεται
στους μεγάλους ορίζοντες
στα σκοτεινά δωμάτια * και στους καθρέφτες
κ' εκείνο το σαξόφωνο
που έπνιξες
κοιτώντας πίσω από τον ώμο μου * την ξεχασμένη ζωή μου
σαν ένα ρούχο * πλάι στην κόκκινη βάρκα
του Ιουλίου.

v

Τις σημαίες τις σημαίες ποιοι τις βαστούν
ποιοι βαστούν τις σημαίες

ii

Our age is maimed * it began proud as a peacock
with flags and drums
it breathed to death * it scattered jasmine and honey
it caressed delighted intoxicated
crowds of former slaves * now prisoners
it deceived.

iii

The other person I was, I became again
the moment when I met you
when I believed that I met you
while in reality I was living the dream
of a Cyclops
in love.

iv

You didn't believe me * and I find that quite natural
because I know that my voice * disappears
on large horizons
in dark rooms * and in mirrors
and that saxophone
you strangled
looking over my shoulder * my forgotten life
like some garment * beside the red boat
of July.

v

The flags the flags who's holding the flags
who's holding the flags

τα λάβαρα τα εξαπτέρυγα
τα πολύχρωμα πλακάτ
με τα συνθήματα και τις λέξεις κλειδιά
                    τις λέξεις μπουρλότα.
Προχωρούν βαθειά μέσα στα πλήθη
                    μέσα στα πλήθη κι αυτά υποφέρουν
υποχωρούν χαίρονται κραυγάζουν
                εκρήγνυνται.
Και μέσα από τις χιλιάδες φωτιές πυρκαγιές
                        πυρκαγιές
                        πυρήνες
                        καταιγίδες
η ιστορία αναπλάθεται
και βγαίνει αυτός ο γνωστός μας τύπος
                  ο γνωστός τύπος
                  ο κυρ Παπαδόπουλος
αυτός που όλοι τον ξέραμε
και που κανείς δεν περίμενε.
Τόση σοφία τόση σοφία είχαμε
ώστε να μη δούμε
    να μη δούμε
—ίσως δεν το βλέπουμε ακόμη—
το πιο ακριβό μας δημιούργημα
αυτό που μας κόστισε
            μας κόστισε τόσο ακριβά
            ακριβά και τελεσίδικα.

vi

Να μάθεις να περιμένεις
και να περιμένεις
πάντα μαθαίνοντας
και πάντα περιμένοντας

the banners the cherubim
the many-colored placards
with the passwords and the keywords
        the hot air words?
They move on deep into the crowds
        into the crowds who are suffering too
they retreat rejoice shout
        explode.
And from the thousands of conflagrations
        conflagrations
        nuclei
        cloudbursts
history is remade
        and out comes our familiar fellow
        the familiar fellow
        Mr Papadopoulos
the one we all know
and nobody expected.

So much wisdom so much wisdom we had
that we didn't see
        we didn't see
        —maybe we still don't see—
        our most precious creation
what cost us so dearly
        it cost us so dearly
        dearly and conclusively.

vi

To learn to wait
and to wait
always learning
and always waiting

να ελπίζεις
και πάντα ελπίζοντας
να περιμένεις
μαθαίνοντας
την πίκρα.

vii

Όταν όπως μέσα στη νύχτα το σκοτάδι αναδιπλώνεται
        χτυπημένο από λάμψη μακρινής αστραπής
μέσα στη χαμένη ζωή μου χαμένη μέσα σε πλήθη και λάμψεις
ήρθε ένα φως μακρινό με τη δύναμη του τέλους
να σημάνει την αρχή της ζωής μου που πέθανε και πάλι ξανάζησε
έτοιμη πάντα για τους μεγάλους θανάτους που μας οδηγούν σταθερά
στην κοίτη εκεί που όλα τελειώνουν και όλα αρχίζουν.

* * *

Κι έτσι είδα ξανά το εξαίσιο θέαμα
την ωραία πομπή που δεν ήταν παρά γλώσσες φωτιάς
μιας φωτιάς που καιγόταν και ξανάναβε από τον εαυτό της
και προχωρούσε περήφανη και σημαντική
πάντα ενάντια στον άνεμο των άστρων
που στροβιλίζοντας μέσα στο πρώτο χάος
βυθιζόταν μέσα στη χοάνη της μεγάλης νύχτας
που ήταν η ίδια η ψυχή μου.

* * *

Πώς να μείνω αδιάφορος σ' αυτή την πύρινη σύγκρουση
καμωμένη από τα στοιχεία μου στοιχεία ονείρου και προσμονής;
Ήμουν εγώ η χοάνη και ο αστρικός άνεμος
ήμουν εγώ η σύγκρουση λίγο πριν από την σύγκρουση

to hope
and always hoping
to wait
learning
bitterness.

vii

But when in the night the darkness recoils
          wounded by the flash of distant lighting
in my lost life, lost in crowds and flashes
came a distant light with the power of the end
to signal the beginning of my life that died and lived again
always ready for the great deaths that lead us steadfastly
to the bed where all things end and all begin.

* * *

And so I suddenly saw the amazing vision again
the beautiful procession which was nothing other than tongues of fire
a fire that burned and was rekindled from itself
and went on, proud and meaningful
always against the wind of the stars
that whirled in the primal chaos
and sank into the crucible of the great night
that was my own soul.

* * *

How could I remain indifferent to this flaming crash
made up of my elements, elements of dream and anticipation
I was the crucible and the astral wind
I was the bang a little before the bang

και η φωτιά και η πορεία και η απουσία και το κενό
έτσι που στο τέλος δεν ήμουν τίποτα
όμως ένα τίποτα μεγαλειώδες
πολύ περισσότερο μεγαλειώδες από χίλιους θανάτους ενωμένους
παντοδύναμους και υπέροχους
καθώς σφραγίζουν με την αιμάτινη βούλα τους
το γαλάζιο αιδοίο της ζωής έτοιμο πάντα
να δεχτεί το κοντάρι του ήλιου που είναι ο άλλος εαυτός μου.

* * *

Δεν είδα τίποτα δεν έμαθα τίποτα δεν ξέχασα τίποτα
απ' όλα τα τίποτα ξαναφτιάχνω τώρα το καινούριο μου πρόσωπο
θα 'ναι κι αυτό ένα καινούριο τίποτα όμως τίμιο
σαν το ψωμί που πετούν στα σκυλιά των μεγάλων δρόμων
μια στιγμή πριν συντριβούν στους τροχούς
και θα μείνουν ανάσκελα και τυμπανιαία αφού σπαράξουν
για λίγο ή για πολύ όμως αυτό δεν έχει σημασία
αφού το ψωμί έγινε αίμα εγώ έγινα αίμα
και με στεγνώνουν οι τροχοί και το χώμα και ο άνεμος
των μεγάλων φορτηγών που προχωρούν σταθερά και αδιάφορα
εφοδιάζουν με αυταπάτες και πτώματα τους αδιάφορους διαβάτες
της νεκρής εποχής μας.

Τέλος σε είδα.
Ήσουν πάντα εσύ πάντα πρώτη και τελευταία.
Ήσουν ο θάνατος ακριβώς για να σβήσουν όλα
και να γραφτεί ξανά το άλφα και το βήτα
όμως μ' ένα καινούριο νόημα πρωτόφαντο άγνωστο και απειλητικό
που να αμφισβητεί οριστικά όλα όσα είδαμε και δεν είδαμε
όσα μάθαμε και θα μάθουμε και προπαντός όσα ξεχάσαμε για πάντα
τόσο πολύ τόσο βαθειά και τόσο πικρά που έγιναν η μνήμη μας η μοναδική
η μνήμη των βουνών μας σκεπασμένη με θυμάρια και σκίνα
φωλιές φιδιών με σταχτιές βούλες πάνω στα πράσινα λέπια

and the fire and the march and the absence and the void
so that in the end I was nothing
and yet a glorious nothing
a nothing much more glorious than a thousand deaths united
almighty and splendid
while they stamp with their bloody seals
the blue vulva of life ever ready
to accept the spear of the sun which is my other self.

*   *   *

I saw nothing, I learned nothing, I forgot nothing
from all the nothing I now make my new face
that, too, will be a new nothing but worthy
like the bread they throw to the dogs of the highways
a moment before they smash into the wheels
and they'll stay on their backs, stretched flat
after they writhe for a while but that is meaningless
since the bread became blood I became blood
and the wheels and the earth dry me, and the wind
of the huge trucks that drive steadily on paying no attention
loaded with deception and bodies, the indifferent passers-by
of our dead age.

Finally I saw you
it was always you first and last.
You were death precisely in order to erase everything
and so the alpha and beta could be written again
but with a new meaning, unheard of, unknown and threatening
which will finally call into question all that we have seen and not seen
whatever we have learned and above all whatever we have
forgotten forever
so much so deeply and so bitterly that our memory has become
the only one

που τόσο μοιάζουν με τις άγραφτες λέξεις γεμάτες σκοτεινά νοήματα
έτοιμα να συλλάβουν την έννοια αγάπη εντούτοις ασύλληπτη
άχρωμη άοσμη άφαντη και συγκλονιστική.

* * *

Ήρθες εσύ και εντούτοις ήσουν η ίδια
όπως θα ήσουν αν δεν ήσουν εσύ
όπως ακριβώς ήσουν τότε που σε γνώρισα
και τότε που δεν σε γνώρισα
και δεν θα σε γνωρίσω ποτέ
γιατί σε ξέρω γιατί σε ήξερα και σε ξέχασα για πάντα
για να μείνεις για πάντα στη μνήμη μου
φωτεινή απουσία και πόνος.
Και όλα αυτά έγιναν η μεγάλη πληγή
μεγάλη σαν κόκκινη πεδιάδα
με χώμα σκληρό αργιλώδες αιμάτινο
με ελάχιστη βλάστηση βασανισμένη από τον μεγάλο δυτικό άνεμο
δηλαδή τον άνεμο της μεγάλης δύσης
που σταθερά δολοφονεί τους ήλιους και τους αθώους
αυτούς που όπως εγώ έμειναν με τα μάτια ορθάνοιχτα
μαγεμένα στο γαλάζιο στο κόκκινο και στο πορτοκαλί
περιμένοντας μάταια τα χρώματα να μιλήσουν
ή να τραγουδήσουν ή να σιωπήσουν για πάντα
δημιουργώντας τη Συμφωνία της Σιωπής
με μελωδίες από σιωπή
ρυθμούς και αρμονίες από σιωπή και δακρυσμένα πεντάχορδα.

* * *

Και τότε πάνω στην πεδιάδα του αιμάτινου ήχου μου
ζεμένο σε χίλια βόδια
ήρθε το αλέτρι που έχει το σχήμα της απουσίας σου
και περνά και ξαναπερνά με σχίζει και με ανασκαλεύει

the memory of our mountains covered in thyme and lentisk
nests of snakes with ashy spots on green scales
that look so much like unwritten words full of dark significance
ready to spell out the meaning of love yet incomprehensible
colorless scentless invisible and moving.

* * *

You came and yet you were the same
as you would be if you were not you
exactly as you were then when I met you
and when I didn't meet you
and I will never meet you
because I know you because I knew you and forgot you forever
so you would stay in my memory forever
shining absence and pain.
And all that became a great wound
big as a red plain
with earth of hard blood-red clay
with scant vegetation tormented by the great west wind
because the wind of the great west
that steadily murders the suns and the innocents
those who, like me, remained with their eyes wide open
bewitched by the azure in the red and in the orange
waiting in vain for the colors to speak
or to sing and be silent forever
creating the Symphony of Silence
with melodies made of silence
rhythms and harmonies from silence and tearful pentachords.

* * *

And then on the plain of my bloody sound
scorched on a thousand oxen

ως τα ύστατα της αίσθησης και της μη αίσθησης
έτσι που όλα αλλάζουν η βλάστηση γίνεται ένα με το χώμα
για να δεχτεί το σπόρο του πρώτου δέντρου
αυτού που θα γεννήσει τον πρώτο καρπό
και θα θρέψει τον πρώτον άνθρωπο
και την πρώτη γνώση.

Σε λένε αγλάισμα.

Και ίσως ποτέ να μη μάθεις αυτό που ήξερες πάντα
γιατί ακριβώς το ήξερες πριν την αρχή του
και θα το ξέρεις πάντα μετά το τέλος του
και ούτω καθ' εξής εις τους αιώνας των αιώνων.

came the plough which has the shape of your absence
and passes and re-passes, tears me apart and casts me down
to the last extreme of feeling and not feeling
so that everything changes and the vegetation becomes one
with the earth
so as to receive the seed of the first tree
the tree that will bear the first fruit
and nourish the first person
and the first knowledge.
They call you glory.

And perhaps you will never know what you always knew
precisely because you knew it before its beginning
and you will know it after its end
and so on forever and forever.

Στην Ανατολή (1973)

In the East (1973)

Στην Ανατολή

Στην Ανατολή, στην Ανατολή
στην Ανατολή γλυκοκελαηδεί
αχ, το αηδονάκι
γλυκοκελαηδεί.

Και μου λέει, και μου λέει
με πικρό καημό
και μου λέει και μου λέει
κάποιο μυστικό.

Στην Ανατολή, στην Ανατολή
στην Ανατολή μελαχρινό παιδί
δεν μπορεί να κλάψει
κι όλο τραγουδεί.

Στην Ανατολή, στην Ανατολή
στην Ανατολή ο γιος του Θοδωρή
την πόρτα μου ανοίγει
κι είναι Κυριακή.

Στην Ανατολή, στην Ανατολή
στην Ανατολή κάνε μιαν ευχή
το χελιδονάκι ήρθε στην αυλή.

In the East

In the East, in the East
in the East, it sings so sweetly.
Ah! The little nightingale
sings so sweetly.

And it tells me, it tells me
with bitter sorrow
it tells me, it tells me
a secret.

In the East, in the East
a dark boy
cannot cry
he just keeps singing.

In the East, in the East
in the East, the son of Theodoris
opens my door
and it is Sunday.

In the East, in the East
in the East say a prayer,
the swallow has come to the courtyard.

Φωτιές Φωτιές

Φωτιές φωτιές μες στα φύλλα της καρδιάς
πονάς πονάς κανακάρη μου.
Φωτιές φωτιές γιατί ξέρεις να μιλάς
πονάς πονάς παλικάρι μου

Σε πηγαίνουν για ταξίδι
το καράβι βούλιαξε
σε πηγαίνουν στα πελάγη
κι η θάλασσα μαράθηκε.

Ήσουν ήλιος, ήσουν μέρα
ήσουν γλυκοχάραμα
τώρα τά 'σκιασε η φοβέρα
και τ' άσπρο μαύρο γίνηκε.

Τα πουλάκια με ρωτούνε
τι να δω και τι να πω
μόνο σύ παιδί μου ξέρεις
της καρδιάς μου τον καημό.

Fires, Fires

Fires fires deep in the heart
you suffer you suffer my darling son.
Fires fires because you know how to speak
you suffer you suffer my brave boy.

They took you on a journey,
the boat sank;
they took you on the oceans
and the sea dried up.

You were sun, you were day
you were sweet dawn;
now fear has shaded them
and white has turned black.

The birds ask me
what to see and what to say;
only you, my son, know
the pain of my heart.

Δέκα παλικάρια

Δέκα παλικάρια από την Αθήνα πάνε βάρκα γιαλό
πάνε για του ήλιου τα μέρη, βάρκα έι γιαλό.

Ξεκινήσανε με την αυγούλα, βάρκα γιαλό
αρμενίσανε στο γαλανό νερό, βάρκα έι γιαλό

Μαύρα μάτια, μαύρα φρύδια και στα χείλη, βάρκα γιαλό
και στα χείλη τους λουλούδια, βάρκα έι γιαλό.

Κεραυνοί τώρα τους ζώνουν και μια σπάθα, βάρκα γιαλό
και μια σπάθα τους θερίζει, βάρκα έι γιαλό.

Τραγουδούσαν και γελούσαν δέκα ήταν, βάρκα γιαλό
δέκα ήταν οι λεβέντες βάρκα έι γιαλό.

Μα τα τανκς τώρα τους ζώνουν και μια κάννη, βάρκα γιαλό
και μια κάννη τους θερίζει, βάρκα έι γιαλό.

Ten Brave Lads[24]

Ten brave lads from Athens took a boat to sea
they headed for sunny parts, boat at sea.

They set out at dawn, boat at sea
they sailed the calm waters.

Black eyes, black brows, and on their lips, boat at sea
and on the lips, flowers, boat at sea.

Thunder surrounds them now and a sword, boat at sea
and a sword mows them down, boat at sea.

All ten used to sing and laugh, boat at sea
they were ten fine lads, boat at sea.

But now the tanks surround them and a cannon, boat at sea
and a cannon mows them down, boat at sea.

---

24 This song was sung after the crushing of the student protest at the Polytechnic university in November, 1973.

Βουνά σας χαιρετώ

Βουνά, βουνά σας χαιρετώ
φεύγω για μακριά
για ταξίδι μεγάλο
δίχως πηγαιμό, δίχως γυρισμό.
Βουνά, βουνά σας χαιρετώ
φεύγω για μακριά.

Δεν κιότεψα, δεν λύγισα
και τη ζωή αψήφησα.

Μονάχα μια καρδιά πονώ
μόνο μια καρδιά
αυτή μόνο θα νοιώσει
το σκληρό καημό απ' το χωρισμό
μονάχα μια καρδιά πονώ
μόνο μια καρδιά.

Δεν κιότεψα, δεν λύγισα
και τη ζωή αψήφησα.

Mountains, I Bid You Farewell

Mountains, mountains, I bid you farewell
I'm going far away
on a great journey
without departure, without return.
Mountains, mountains, I bid you farewell
I'm going far away.

I didn't balk, I didn't bend
and I disdained life.

Only one heart I hurt
only one heart
just one will feel
the hard pain of parting
only one heart I hurt
only one heart.

I didn't balk, I didn't bend
and I disdained life.

Άστατο πουλί

Ήρθε στ' όνειρό μου
άστατο πουλί
μέσα στο σκοτάδι
η ανατολή.

Σ' άπλωσα το χέρι
μου 'πες δεν μπορώ
θέλω να πετάξω
σ' άλλον ουρανό.

Έφυγαν τα χρόνια
έφυγες κι εσύ
γύρω μου σκοτάδι
και ψιλή βροχή.

Τη δική μου αγάπη
δεν την εκτιμάς
στα ψηλά μπαλκόνια
πρόθυμα πετάς.

Μού 'βαλες μαχαίρι
μέσα στην καρδιά
μα η δικιά μου αγάπη
πάντα εσέ ζητά.

Κοίτα με στα μάτια
φίλα με γλυκά
κι άσε την καρδιά σου
να μου τραγουδά.

Ανατολή σε λέγανε
κι αγγέλοι σε ντάντευάνε.

1973

Fickle Bird

You came in my dream
fickle bird;
in the darkness,
Dawn.

I held out my hand to you
I can't, you told me
I want to fly
to another sky.

The years passed
you left too
darkness all around me
and soft rain.

You don't value
my love
eagerly you fly
to the high balconies.

You thrust a knife
into my heart
but my love
always seeks you.

Look into my eyes
kiss me sweet
and let your heart
sing to me.

They called you Dawn
and angels nursed you.

1973

Μες στην ταβέρνα

Μες στην ταβέρνα τώρα κάθεσαι και δεν μιλάς
μες στην καρδιά σου στάλες στάλες πέφτει ο σεβντάς
θυμάσαι τότε που πετούσες με πλατειά φτερά
τώρα ο καθένας τη ζωή σου την κλωτσοβολά.

Βγάλε πάλι την ψυχή σου
στο σεργιάνι μες στις γειτονιές
να γιομίσει η ζωή σου
γλυκές φωνές και με πασχαλιές.

Ήσουν ωραίος σαν περνούσες μες στις γειτονιές
στα παραθύρια σιγολιώναν χίλιες δυο καρδιές
μες στην καρδιά σου κουβαλούσες όλες τις καρδιές
στα όνειρά σου τ' αηδονάκια χτίζανε φωλιές.

In the Tavern

In the tavern you sit now without speaking
the pain falls drop by drop in your heart
you remember when you flew on broad wings
now everyone kicks your heart about.

Take your soul out again
to stroll through the neighborhoods
let your life be filled
with sweet voices and lilacs.

You were handsome as you passed through the neighborhoods
at the windows a thousand hearts quietly melted
in your heart you carried all hearts
in your dreams the nightingales built their nests.

Επιστροφή – ποιήματα της μεταδικτατορηκής εποχής
(1974-1990)

Theodorakis with Alekos Panagoulis, 1975.
Panagoulis made an attempt to assassinate the dictator George Papadopoulos in 1968 and was severely tortured for a long period. He died in suspicious circumstances in 1976.

Return: Poems of the Post-Dictatorship Period (1974-1990)

Τραγούδια για τον Αλέκο Παναγούλη

Two Songs for Alekos Panagoulis (1975-6)[25]

25 Alekos Panagoulis (see above) was killed in a car crash in mysterious circumstances in 1975.

Εκείνος ήταν μόνος

Εκείνος ήταν μόνος μες στα πλήθη
εκείνος ήταν μόνος στο κελί
γι' αυτόν αργά τραγούδησες
πολύ αργά, πολύ αργά.

Εκείνος δεν ακούει τη φωνή σου
η αγάπη σου είναι νεκρή γι' αυτόν
είναι νεκρά τα λόγια κι οι λυγμοί σου
αργά η μνήμη αργά και το φιλί σου
πολύ αργά, πολύ αργά.

Εκείνος ήταν ήρεμος κι ωραίος
εκείνος ήταν μόνος κι ορφανός
εκείνος ήταν δίκαιος κι απέραντος
σαν ουρανός, σαν ουρανός.

Κι εσύ φωνάζεις τώρα τ' όνομά του
στο αίμα του ορκίζεσαι μ' οργή
περίμενε στην ώρα του θανάτου
σαν τη βροχή μας φεύγει τώρα το παιδί
σαν τη βροχή, σαν τη βροχή.

He Was Alone

He was alone in the crowd
he was alone in the cell;
Late, you sang for him, too late
too late, too late.

He doesn't hear your voice
your love is dead to him
your words are dead, your sobs;
late the memory, late your kiss
too late, too late.

He was calm and handsome
he was alone, an orphan,
he was just and boundless
like the sky.

Now you call his name,
you swear a fierce oath on his blood
and wait for the hour of death;
he is leaving us now like the rain
like the rain, like the rain.

Κόκκινο τριαντάφυλλο

Κάθε πρωί ξεκινούσαμε να πάμε στη δουλειά,
στο λεωφορείο γελούσαμε, είμαστε δυο παιδιά.

Κόκκινο τριαντάφυλλο, κόκκινο το δειλινό.

Κάποιο πρωί για τον πόλεμο κινήσαμε μαζί,
όλοι μαζί τραγουδούσαμε, παλεύαμε μαζί.

Μέσα στο Μάη σκοτώθηκες, το αίμα σου μαβί,
έβαψε μαύρο τον ουρανό, κόκκινο τον καιρό.

Μαζί σου όλα σκοτώθηκαν, όνειρα, ιδανικά,
γίναμε όλοι φαντάσματα, ζούμε συμβατικά.

Τώρα οι σημαίες γενήκανε είδη εμπορικά,
είναι τα όνειρα αγαθά καταναλωτικά.

Red Rose

Each morning we'd set out for work
we'd laugh on the bus, we were two young men.

Red rose, red evening.

We set off one morning together for the war
all of us sang together, we all fought together.

You were killed in May, your blood was mauve,
it painted the sky black, the season red.

Everything was killed with you, dreams, ideals,
we all became ghosts, living conventional lives.

Our flags have become goods for sale,
our dreams consumer goods.

Η παγίδα

Είχες τα χέρια σου γιομάτα τραγούδια
τα πόδια σου αγγίζανε το πράσινο νερό
τα όνειρά σου σεργιάνιζαν στους δρόμους
η σκέψη σου ρύθμιζε της μέρας τον ρυθμό.

Βουή τα αυτοκίνητα κι ηλεκτρικές ρεκλάμες
σκεπάζαν τον απόηχο στις φτωχογειτονιές
η νύχτα μούγκριζε στους λασπωμένους δρόμους
δυο φίλοι αντάλλασσαν τον όρκο τον ιερό.

Ποιος να σου το 'λεγε, αυτός με την τραγιάσκα
το μάτι πύρινο, το γένι αχνιστό
το σάλιο κίτρινο κι ο λόγος του αντάρα
στα σπλάχνα γλίστραγε σαν σίδερο καυτό.

Κι εσύ τον πίστεψες και δίχως άλλη σκέψη
μπήκες στον δρόμο τον στενό, τον δίχως γυρισμό
ποιος να σου τό 'λεγε, παιδί, αυτός με την τραγιάσκα
παγίδα σού 'στησε γλυκειά και τώρα είναι αργά.

Essen, 7.10.1977

The Trap

Your hands were filled with songs
your feet touched the green water
your dreams strolled in the streets
your thought dictated the rhythm of the day.

The din of cars and neon signs
hid the echo in the poor quarters;
night howled in the muddy streets
two friends exchanged the sacred oath.

Who would have told you, the one in the cap
his burning eye, unkempt beard,
yellow spittle and blurry speech
that slid in the gut like burning iron?

You believed him and without another thought
entered the narrow street with no exit
who would have told you, the one in the cap?
He set you a sweet trap and now it's too late.

Essen, 7.10.1977

Τώρα που πεθαίνουν τα λουλούδια

Τώρα που πεθαίνουν τα λουλούδια
τώρα που σωπαίνουν τα πουλιά
μού 'μειναν στα χείλη τα τραγούδια
ξεχασμένη αγάπη μου παλιά.

Χώρισαν οι δρόμοι μας μιαν ώρα
φορτωμένοι σύγνεφα βαριά
μες στους παγωμένους δρόμους τώρα
βάσανο η ζωή μας και καπνιά.

Τώρα περιμένουμε το θάμα
πίσω από το τζάμι το θολό
η κάμαρή μας μοιάζει μ' ένα κλάμα
φυτεμένο μέσα μας πνιχτό.

Οι δρόμοι μας χωρίσανε για πάντα
μη με περιμένεις στη γωνιά
η άνοιξη μονάχα για τους άλλους
βάσανο η ζωή μας και καπνιά.

Now that the Flowers are Dying[26]

Now that the flowers are dying
now that the birds are quiet,
the songs stay on my lips,
forgotten love of my heart.

Our ways parted one day
burdened with heavy clouds
our life anguish and blight
now in the frozen roads.

We wait for the miracle now
behind the dim window-pane;
our pride has become a lament
a stifled cry of pain.

Our ways parted forever
don't wait on the corner tonight
spring is only for others
our life, anguish and blight.

Included in *Journey in the Night,* 1978

26 This is Theodorakis's version of a poem by Hadzopoulos, written in Trikala in 1942.

Το τραγούδι της γης — Δεύτερη συμφωνία

1980

Το τραγούδι της Γης
δεν τ 'άκουσες ποτέ
ούτε θα τ 'ακούσεις πια.
Σκότωσες όλα τα πουλιά
τα δάση
το νερό
το λαμπερό νερό
τον ποταμό.
Πάει...
Σκότωσες το χώμα
τον ήλιο
την καρδιά σου.
Ποτέ δε θα ξαναδείς
το χρώμα τ 'ουρανού
δε θ 'ακούσεις ποτέ
τον ήχο των χρωμάτων.
Σαν βολίδα προχωράς στο χάος.
Στερνή φορά ας ακουστεί μες στη σιωπή
το τραγούδι της Γης.
Πριν τελικά τυλιχτώ στο χάος
ένα «γεια σου» θα πω στη ζωή.

The Song of the Earth[27]

1980

You never heard
the song of the earth
nor will you hear it again.
You killed all the birds
the forests
the water
the shining water
the river.
Gone...
You killed the earth
the sun
your heart.
Never again will you see
the color of the sky
never again will you hear
the sound of the colors.
Like a gunshot you are heading for chaos.
For the last time let the song
of the Earth be heard in the silence.
Before I am finally wrapped in chaos
I'll say a "good-bye!" to life.

Second Symphony, 1980

27 "The Song of the Earth" is from Theodorakis's second symphony, a work that takes as its theme the eternal struggle between power and helplessness, evil and innocence. In the symphony there are sections for children's choir who represent the voice of the earth, of flowers, of children

Χαιρετισμοί

1981

Οι «Χαιρετισμοί» γεννήθηκαν ύστερα από έναν ζωηρό διάλογο που είχα με την κόρη του τελωνειακού πριν από πολλά χρόνια στην Κατοχή.
Την έλεγαν Καλλισθένη. Είχε δυό αδέλφια: τον Βλάση και τον Πολύδωρο. Καθόταν στο απέναντι τετράγωνο, επί της Δυρραχίου. Συναντηθήκαμε μπροστά στο συρματόπλεγμα της Γκεστάπο, στη στροφή Νέας Σμύρνης.
— Γιατί δε μιλάς; της λέω
— Τινα πεις μετά από μια τόση απουσία; μου λέει.
Εσύ τώρα είσαι απασχολημένος. Είσαι μπερδεμένος με χίλια δυο πράγματα. Έχεις δρομολόγιο Αθήνα-Πάτρα.
— Κι εσύ βρίσκεσαι στο δρόμο για την Καλκούτα. Βορράς - Νότος - Ανατολή - Δύση, της λέω, δεν έχουν πια κανένα νόημα για μας.
— Και η μουσική;
— Υπήρξε πριν από σένα. Υπήρξε με σένα. Υπάρχει και χωρίς εσένα. Ύστερα από σένα. Ομως εγώ ετοιμάζω τους «Χαιρετισμούς» και πώς να γίνει; Σε 40 χρόνια που θα παιχτούν, θέλω να παιχτούν για σένα.

Όμως τώρα:

Δεν έχω να σου δώσω πια τίποτα άλλο.
Ούτε καν να μπω για σένα στη φυλακή.

Δυό μαύρα φτερά είναι ο νους μου
και νοιώθω να τα ζυγίζω σαν γεράκι
πάνω από έρημη γη.
Κι εσύ, νομίζω, δεν περιμένεις πια να σου δώσω

Acclamations[28]

1981

The Acclamations were inspired by a lively conversation I had with the daughter of a customs official many years ago, during the German occupation.

Her name was Kallistheni. She had two brothers: Vlasis and Polydoros. They lived on the opposite block, facing Dyrrachos Street. We met in front of the Gestapo barbed wire, at the Nea Smyrni turn-off.

"Why don't you speak?" I asked her

"What is there to say in all this absence?" she replied. "You're busy now. You're mixed up in all sorts of things. You have your regular trips from Athens to Patras."

"And you are on the road to Calcutta. North-South-East-West," I say, "have no meaning for us."

"And music?"

"It was there before you. It existed with you. And it exists without you. After you. But I am preparing the Acclamations and what's going to become of them?
In forty years when they are played I want them to be played for you.

But now:

I have nothing else to give you
not even to go to jail for you.
My mind is two black wings
to fall and to hover like a hawk
above the barren earth.
And you, I think, do not expect me to give you

28 The Χαιρεστισμοί, or Acclamations, is a Greek Orthodox service dedicated to the Virgin Mary consisting of hymns and prayers and performed in Spring..

τίποτε άλλο.

Τα πήρες όλα. Κι όλα, νομίζω, ότι
τα 'θαψες βαθειά.
Καλύτερα έτσι. Να μη τα βλέπεις
και θυμάσαι
τον μεγάλο πόνο που φύτεψα
κάποτε στα χρόνια τα παλιά.

Η Καλλισθένη μου έλεγε ένα ποίημα. Και σκέφτομαι τώρα:
Άλλοτε μεθάγαμε με τσίπουρο και μπρούσκο.
Σήμερα μας ποτίζουν χίλια δυο διεγερτικά.
Πέθανε κι ο Πολύδωρος κι ο Βλάσης έγινε υπουργός.
Αλήθεια, πώς να με δεις πίσω
από τόσα παραμύθια.
Πώς να μ' ακούσεις πίσω από τόσα
ξεφωνητά.

Ίσως η συνάντησή μας να ήταν μια
σύμπτωση.
Όπως λόγου χάρη συναντιώνται ξαφνικά
δυο καράβια στα πελάγη
και πάλι ξαφνικά χάνονται
μέσα στη νύχτα
του ορίζοντα βαθειά.
Δεν ξέρω...

*

Εξ άλλου ήξερα ότι ποτέ δε θα
μπορέσω να εξαφανίσω
τις προδοσίες των άλλων.

*

anything else.
You took it all. And I think you buried it
deep.
Better that way. Not to see it
and remember
the great pain I planted
once in those days gone by.

Kallistheni would recite a poem to me
and now I think:

We used to get drunk on *tsipouro*[29]
and rough red wine.
Now they douse us in all sorts of stimulants.
Polydoros died and Vlasis is a minister.
Truly, how could you see me behind
so many tall tales?
How could you hear me through all
the shouting?

Perhaps our meeting was an accident.
Just as, for example, two ships meet suddenly on the ocean
and as suddenly disappear again
into the night
of the deep horizon.
I don't know...

* * *

What's more, I knew I would never
be able to erase
the betrayals of others.

---

29 A rough local equivalent of grappa.

Εσύ έχεις σύμμαχο
ένα τρύπιο σύννεφο
ένα φτηνό άχρηστο και ξερό δέντρο
ριζωμένο σε σένα.
Πάνω στο δικό σου χώμα, χωρίς όνομα.
Δεν μπορεί να ξεριζωθεί
χωρίς να το σφάξει
τσεκούρι.

*

Κάθε δευτερόλεπτο θα αναπνέω φωτιά.
Αν δεν ξέρεις να κλαις
μην ψάχνεις τα δάκρυά σου.

*

Σωτήρη
Κάπου στο αδιέξοδο να ζωγραφιστεί
μια ψεύτικη πόρτα.
Μια πόρτα που θ 'ανοίγει πολύ αργά
όταν τα τείχη θα έχουν εξαφανιστεί.
Αν προλάβουν να εξαφανιστούν
πριν από την τέλεια ασφυξία

*

Εκεί στο Τσίρκο στη λεωφόρο
στη Συγγρού
φώναζε ο κλόουν:
«Περιττές ώρες — περιττά χρόνια
παραδεισιακές κολάσεις
δροσερές πυρκαγιές

* * *

You have a cloud with holes in it
for an ally
a poor useless dry tree
rooted in yourself.
In your soil, without a name.
It cannot uproot itself
without being slaughtered
by an axe.

* * *

Every second I will breathe fire.
If you don't know how to cry
don't look for your tears.

* * *

Sotiris
Somewhere in the blind alley a false door
will be painted.
A door that will open very slowly
after the walls have disappeared.
If they manage to disappear
before the complete asphyxiation.

* * *

There in the Circus in Syngrou Avenue
the clown called out:
"Superfluous hours — superfluous time
paradisical hells
refreshing conflagrations

φρόνιμα θαύματα».

*

Περνούσες σε διπλανό δρόμο
και τα ήξερες όλα.
Η νύχτα έκανε λάθος.
Ξέχασε τα επίσημά της μαύρα.
Ξέχασε τα ψεύτικα μυστήριά της
και πνίγηκε στον πόθο.

Ξημερώματα τη βρήκανε
αλλά δεν την γνώρισαν.
Έτσι κι αλλιώς το ίδιο ήταν.
Κοιμόσουνα.

*

Περπατώντας στο Λόφο του Φιλοπάππου
Σκέφτομαι άξαφνα ότι:

Όταν ήταν δέντρο το χαρτί
τότε σωστά μιλούσε.
Η Αθήνα είναι διαφορετική.
Δεν είναι αυτή που ξέρουμε.
Είναι κάποια άλλη.
Λ.χ. στην Αθήνα δεν υπάρχουν
αυτοκίνητα, σούπερ-μάρκετ
τίμιοι βλάκες.

Υπάρχει, φερ' ειπείν ένας δρόμος ανηφορικός
γεμάτος ζεστή βροχή
που τελικά καταλήγει σε
σε ποτάμι.

prudent miracles."

* * *

You passed by on the next street
and you knew it all.
The night made a mistake.
It forgot its formal black clothes.
It forgot its false mysteries
and choked on desire.
They found her at dawn
but didn't recognize her.
Anyway it was all the same.
You were asleep.

* * *

Walking on the hill of Philopappou
suddenly I think that:

When the paper was a tree
then it spoke correctly.
Athens is different.
It is not the Athens we know.
It is some other.
For example, in Athens there are no
cars, supermarkets
worthy fools.

There is, let us say, an uphill road
full of warm rain
that finally ends
in a river.

Εκεί σε είδα στα 1943, στην Κατοχή,
με τις ξύλινες νύχτες
κι από τότε σε ψάχνω σε κάθε νότα.
Στη λεωφόρο Συγγρού
οι εκκλησίες κρέμονται
από τις πιπεριές.
Στις 26 του Μάρτη ανοίγουν
τις πόρτες
να περάσουν οι ΧΑΙΡΕΤΙΣΜΟΙ.
Κάθε Χαιρετισμός και ένα κορίτσι
κάθε κορίτσι κι ένα σκοτωμένο παιδί.

Τι είναι οι ΧΑΙΡΕΤΙΣΜΟΙ;
Ένας στρογγυλός δίσκος
όπως οι νύχτες είναι στρογγυλές
σε στρογγυλή γη...

Περπατούσαμε στην οδό Ευριπίδου
μας χτυπούσε τη μύτη η μυρουδιά
από τη σαρδέλα και τη λακέρδα.
Η Ασφάλεια μας παρακολουθούσε.
Μου λες
«Ντράπηκε ο αέρας -
Ντράπηκε η ασφυξία
ντράπηκαν τα λόγια -
ντράπηκε η σιωπή... »

Τι να σου πω που ήξερα ότι σε 38
μέρες και νύχτες θα σε εκτελούσαν
πάνω σε μια καρέκλα
με την πλάτη στον Υμηττό.

Βλέπετε πόσο

I saw you there in 1943, during the Occupation
with its wooden nights
and from then on I search for you in each note.
On Syngrou Street
the churches are hanging
from the peppercorn trees.

On the 26th of March the doors
open
for the ACCLAMATIONS to enter.

Each Acclamation another girl
each girl another dead boy.
What are the ACCLAMATIONS ?
A round disk
just as the nights are round
on a round earth...

We were walking on Euripides Street
and the smell of sardines and kippers
hit our noses.

The Security Police were following us.
You said
"The air is ashamed
the stifling is ashamed
the words are ashamed
the silence is ashamed..."

What could I tell you when I knew that in 38
days they would execute you
on a chair
with your back to Mt. Hymettus.

συνυπάρχουν το κενό με το κενό
οι ώρες με τις στιγμές
εκτός τόπου και χρόνου
στον σκοτεινό ωκεανό.
Μήνυμα σε μπουκάλι.
Ατιμο παιχνίδι!..
Εγώ το 'βαλα κι εγώ το βρίσκω...
Μόνο τον εαυτό μου δε βρίσκω.
Γιατί δεν υπάρχει πουθενά...
Μόνο που η Ασφάλεια τον ξέρει
και τώρα μας παρακολουθεί.

Στου Πατσία, το υπόγειο
στην οδό Χαριλάου Τρικούπη
μαζί με τον Παύλο ήρθε
κι ο Πέτρος
κι ο πατέρας μου
που κερνούσε γαλέο σκορδαλιά.
Εμένα το μυαλό μου
καρφωμένο στο Άλσος της
Νέας Σμύρνης...
Και τώρα το σπίτι σου
έγινε πολυκατοικία
κι απ' τη διπλανή
κλαίει ένα μωρό.

Άλλα εκατομμύρια θα παρηγορηθούν
σε βρώμικη, ένοχη αγκαλιά.
Πιάστηκε κι ο Πέτρος.
Πιάστηκα κι εγώ.

Πού ν' ακούσεις τους ΧΑΙΡΕΤΙΣΜΟΥΣ
μέσα στο μπουντρούμι...
θα με ψάχνουν ολόκληρη ζωή

You see how much
the void coexists with the void
the hours with the minutes
outside place and time
on the dark ocean.

Message in a bottle.
Dishonest game!...
I put it there and I find it...
Only myself I can't find.
Because it exists nowhere...
Only the Security police know it
and now they are following us.

At Patsias's place, the cellar
in Harileos Trikoupis Street
together with Pavlos
came Petros
and my father
who bought us all cod in garlic sauce.
My mind
was fixed on the park
of Nea Smyrni...

And now your house
has become an apartment block
and from the one next door
a baby is crying.

But millions will take comfort
in dirty, guilty embraces.
Petros has been caught.
I've been caught too.

θα πεθάνουν από αυτοκινητιστικό
δυστύχημα
από καρκίνο - από γρίπη -

από άτυχη δειλία
από δειλή ατυχία -
θα κοιμούνται λαθεμένα κάθε νύχτα.
Κι εγώ που σε βρήκα
δε θα ξανακοιμηθώ
θα ριζωθώ στο τραγούδι.
Και πού θα το πάρω όλο αυτό
το τραγούδι;
Τουλάχιστον να τ 'άκουγαν οι φίλοι μου
εκεί που βρίσκονται ύστερα από
το τσιμπούσι μας στην Ταβέρνα
του Πατσία, στα 1948.

Αν θέλετε να ξέρετε
πίσω από τη μουσική
κάτω από τη μουσική
ακούγεται η σιωπή.

Και μην σας διαφεύγει το γεγονός
ότι τα φαντάσματα
κάνουν στον εαυτό τους
οδυνηρές φάρσες.
Στην επιφάνεια αυτής της
εκρηκτικής ησυχίας
υπάρχει μια καρφίτσα.

*

Τώρα η Αθήνα γέμισε
με πόνο πολυτελείας

How can you hear the ACCLAMATIONS
    in the prison....
They'll be searching for me for a lifetime.
They'll die in a car
accident
of cancer — of influenza
of unfortunate cowardice
of cowardly misfortune.
They'll sleep deceived each night.
And I who found you
    will not sleep again.
I'll take root in song.
And where will I take all that
    song?
If only my friends could hear it
at least, wherever they happen to be
after our snack
at Patsias' tavern in 1948.

If you wish to know
    behind the music
    under the music
    silence can be heard.

And don't let the fact escape you
    that ghosts
    make painful jokes
    about themselves.
On the surface of this
explosive calm
there is a pin.

* * *

αριστοκρατικό
μακρινό.
Με λέξεις κολλημένες στο κακό νέφος.
Γέμισαν οι δρόμοι
περιττές ώρες
περιττά χρόνια
παραδεισιακές κολάσεις
δροσερές πυρκαγιές.
Τα κορίτσια μας γέμισαν
με φανταστικά μυθιστορήματα -
φανταστικά έργα
σε συνοικιακά σινεμά -
με αρωματισμένη μοναξιά.
Τ΄ αγόρια μας παίζουν
με φρόνιμα θαύματα
με παράνομα παραλυρήματα
στη ρίζα της φωνής τους.

Εμείς δεν παίξαμε.
Μας έπαιξαν.
Κι από το παίξε - παίξε
φτάσαμε στα ζεϊμπέκικα
και τώρα στις μπαλάντες
και στα συμφωνικά
κι όλο τρέχουμε να
προλάβουμε, γιατί δεν είναι
μονάχα όλοι αυτοί που μας κυνηγούν:
γκεστάπο - ασφάλεια - τσολιάδες -
χουντικοί - Μεσίες – φαντάσματα.
Είσαι και εσύ
που γελάς κι έχεις σάπια δόντια
έχεις όμως και θείο Άγιο
με πιστοποιητικό και δική του ενορία.

Now Athens is full
of luxurious
aristocratic
distant
pain.

With words sticking to the smog.
The streets are full
of superfluous hours
superfluous years
paradisical hells
refreshing conflagrations.

Our girls are filled
with fantastic novels
fantastic works of art
neighborhood cinemas
with perfumed loneliness.

Our boys play
with obedient miracles
with illegal ravings
at the root of their voices.

We don't play.
They played us.
And from all the playing
we arrived at the zeibekika[30]
and now at the ballads
and now the symphonic pieces
and we keep on running
to make it on time, because it's not only
all these who are chasing us:

30 Plural of zeibekiko, a solo male dance.

Και σε διαβάζουν όλοι
σε βλέπουν όλοι
και όλοι μιλούν με το στόμα σου
και βλέπουν με τα μάτια σου
κι ας έχεις
τραχώματα.
Να λοιπόν ζεϊμπέκικα
και μπαλάντες
και μπουζούκια και κιθάρες
και φλάουτα
μήπως κάπου κάποτε κάτι γίνει.
Αν και το κάτι δεν θα βγει
από το τίποτα.

*

Και για να μάθεις.
Η μάλλον να ξέρεις ξαφνικά.
Να τα ξέρεις όλα.
Να ξέρεις κάθε λέξη.
ΤΗ λέξη: ανυπόφερτο.
ΤΗ λέξη: αρώστεια.
ΤΗ λέξη: κόλαση και όσες φοβούνται
ακόμα το νόμο της Σιωπής.
ΤΗ λέξη: βασανισμός
και ΤΗ λέξη: ιεροσυλία.
Σατανικός χορός χωρίς τέλος.
Κύκλος ακίνητος.
Πρέπει να σπάσει ο σιδερένιος
κύκλος.

Να πετάξουν τα λόγια.
Να κολυμπήσουν. Να πνιγούν.
Να χαθούν.
Μέχρι να σε βρουν.

gestapo — Security Police - army thugs -
agents of the junta - messiahs - ghosts.
It is you
who laugh and have rotten teeth
but you also have a Saint for an uncle
with a certificate to prove it and his own parish.

And everyone reads you
and they all see you
and all speak with your mouth
and see with your eyes
even if you have
trachoma.

So there are your zeibekika
and your ballads
and bouzoukis and guitars
and flutes
in case somewhere, someday, something happens.
Even though something
will not come out of nothing.

* * *

And so you can learn.
Or rather suddenly know.
Know everything.
Know every word.
THE word: unbearable.
THE word: sickness.
THE word: hell and all who still fear
the law of Silence.
THE word: torture
and THE word: sacrilege.

Να γίνουν αέρας.
Να γίνουν φυσαλίδα
και χωρίς να το καταλάβεις
να κοιμηθούν στην παλάμη σου.

Να διαλυθούν και να φτιάξουν
άλλη λέξη χωρίς παγίδα
χωρίς χαρτί και μολύβι
χωρίς την πανίσχυρη Απουσία σου
χωρίς τη Νύχτα που δεν μπορεί
να περάσει
και που όμως θα περάσει
βιάζοντας κάθε αντοχή
χωρίς τα ποτάμια δακρύων
χωρίς την ιερόσυλη ενοχή.

Μια λέξη που να μην περιέχει
τη σιωπή.
Για να μάθεις.
Να τα ξέρεις όλα!. Τώρα!.
Τώρα που κάπου γράφεις
και μεθάει το μολύβι.
Διαβάζεις και μεθάνε οι
σελίδες.
Απλώνεις το χέρι
και τρέμουν κρυφά
τα έπιπλα.

Χωρίς να ξέρεις εσύ
πως είναι όλα τρελά.
Εσύ δεν το ξέρεις.
Κι εγώ πνίγομαι
σ' όλα τα ποτάμια της νύχτας.
Καληνύχτα.

Satanic dance without an end.
Motionless circle.
The iron circle must break.

So that words will fly.
Swim. Drown.
So they'll die.
Until they find you.
Become air.
Become a bubble
and without you being aware of it
they'll sleep in the palm of your hand.

Dissolve and form
another word without any trap
without paper and pencil
without your all-powerful Absence
without the Night that cannot
end
and that will nevertheless end,
overcoming any resistance
without the rivers of tears
without the sacrilegious guilt.

One word that will not contain
silence.
So as to learn.
To know it all! Now!
Now that somewhere you are writing
and the pencil gets drunk.
You read and the pages get drunk.

You stretch out your hand
and the furniture

secretly shakes.
Without your knowing
that everything is crazy.
You don't know it.

And I am drowning
in all the rivers of the night
Goodnight.

Χαίρε

Στην άκρη του καλοκαιριού
θά 'ρθω να σ' ανταμώσω
το πέλαγο, τα κύματα
στα πόδια σου ν' απλώσω.

Στην άλλη άκρη του καιρού
θα στήσω την μορφή σου
με πίκρα και με λησμονιά
θα δέσω την ψυχή σου.

Χαίρε πέτρινο λουλούδι
με το χρώμα της φωτιάς
χαίρε κόκκινο τραγούδι
απ' το αίμα της καρδιάς.

Hail

I'll come to meet you at the end of summer
to lay the ocean, the waves at your feet.

Hail stone flower, the color of fire
hail song, red with the heart's blood.

At the far end of time I'll raise your image
I'll bind your soul with bitterness and forgetfulness.

Hail stone flower, the color of fire
hail song, red with the heart's blood

Διόνυσος

1984

Dionysos[31]

1984

Dionysos, we know, took part in the battle of Makryianni in December 1944. On the 10th of December the British captured the Acropolis. Despite their promises that they would respect the sacred monument, the deadly blow came behind our backs, from there. Dionysos was buried the same day, on the 10th of December, together with dozens of boys and girls who had given their youth to Spring.

31 Code name of a young man shot by the British during the battles of December 1944.

Η απολογία του Διονύσου

Γειά και χαρά σας άσπιλοί μου δικαστές
είμαι μπροστά σας, βγάλτε νύχια και φωτιές
η τιμωρία τρομερή
πρέπει να βγει από την συνάθροιση αυτή.

Κάψτε τους στίχους, κάθε μελωδία μαγική
που μας πηγαίνει σ’ άγνωστη μεριά χιμαιρική.

Γειά και χαρά του κόσμου αυτού οι δυνατοί
είμαι μπροστά σας, βγάλτε νύχια και χολή
σαν τα βουνά
που κλείνουν μέταλλα σκληρά
και τα τρυπούν
και την καρδιά τους την πονούν
μα η καρδιά
μες απ’ τα νύχια τους γλιστρά
και τραγουδά.

Dionysos' Defence

Greetings to you my lily white judges
I stand before you.
Out with your nails and fires!
The terrible punishment
must emerge from this assembly.

Burn the verses, every magical melody
that carries us to unknown, visionary places.

Greetings to the mighty of this world.
I stand before you.
Out with your nails and spleen
like the mountains
that hold hard metals
and they make holes in them
and wound their heart
but the heart slips from their nails
and sings.

Αντιστροφή Ά

Παγάνα πάνε οι στρατιές
στου Διονύσου τις κορφές
για ν' ανάψουνε φωτιές.
Να κάψουν θέλουν το θεό
με τις νυφούλες στο πλευρό
και τ' αγόρια στο χορό.

Antistrophe A

Armies prowl
the summits of Dionysos
to set fires.

They want to burn the god
with his brides at his side
and the boys at their dancing.

Αντιστροφή Β΄

Διόνυσέ μου, με τ' ασίκικα φτερά
παλικάρι μου, με του τράγου το κορμί
παλικάρι μου, σέρνεις πρώτος την πομπή
Διόνυσέ μου
κοίτα ποιος σ' ακολουθεί
Έλληνες κι αλλοδαποί.

Antistrophe B

My Dionysos
with your gallant feathers,
bold lad, you lead off the procession
my Dionysos,
look who is following you
Greeks and foreigners.

Μια φυλακή

Μια φυλακή
—πώς μας φτάσαν ως εκεί;—
μια φυλακή
η ζωή μου φυλακή.

Χωρίς ποινή
—πώς μας φτάσαν ως εκεί;—
και δικαστή
η ζωή μου φυλακή.

Στου Μακρυγιάννη
πριν προλάβεις να μιλήσεις
Εγγλέζου βόλι σε γονάτισε.
Μας κοίταζες με βλέμμα μελαγχολικό
να σκεφτόσουνα θαρρείς
πόσο λίγο η μέρα κράτησε.

Μες στις πλατείες ένας-ένας καθισμένοι
τη μοναξιά μας τη γραμμένη
τη σφράγισες με βλέμμα μελαγχολικό
ποιος θα πει το μυστικό
στη ζωή μας τη χαμένη.

A Prison

A prison
—how did they reach us there? —
a prison
my life a prison.

Without a sentence
-how did they reach us there?—
or judge
my life a prison.

At Makriyanni
before you could even speak
a British volley brought you to your knees.
You looked at us sadly
I suppose you were thinking
how little the day lasted.

In the squares, each one sitting by himself
you stamped our fateful loneliness
with your sad look.
Who will tell the secret
in our lost life?

Το ψυγείο

Μη ρωτάς καρδιά μου
μην καρδιοχτυπάς
πίκρες, παραμύθια
τέλειωσαν για μας.

Στο τηλέφωνό σου
όλοι οι αριθμοί
έχουν παραλήπτη
μια ζωή νεκρή.

Αν έχεις μάτια που κοιτούν
κι αν έχεις στήθια που πονούν
πώς την αντέχεις, δε μου λες
τέτοια ζωή χωρίς να κλαις.

Όσοι αγάπησαν
κείτονται νεκροί
όσοι προσκύνησαν
είναι οδηγοί.

Μέσα στο ψυγείο
άνοιξε να μπεις
για να μείνεις φρέσκος
να διατηρηθείς.

The Refrigerator

Don't ask, my heart,
don't beat
bitterness, fairytales
are all over for us

On your telephone
all the numbers
have been omitted,
a dead life.

If you have eyes that see
and if you have breasts that suffer
tell me how can you bear
a life like this without weeping.

Those who loved
lie dead,
those who knelt down
are leaders.

Open the refrigerator
and go inside
so you'll stay fresh
so you'll be preserved.

Η αρκούδα

Μιαν αλυσίδα μου δένουν γύρω στο λαιμό
είμαι αρκούδα χορεύω γύφτικο σκοπό
είμαι αρκούδα χορεύω γύφτικο σκοπό
μιαν αλυσίδα μου δένουν γύρω στο λαιμό

Μέσα στα γήπεδα με γυμνάζουνε
τ' άγρια πλήθη να χαιρετώ
με μαϊμούδες μαζί με βάζουνε
τ' άγρια πλήθη να προσκυνώ.

Στη φυλακή μου αγγέλοι μπαίνουν σιωπηλοί
ήρθε το τέλος δεν ήρθε ακόμα η αρχή
ήρθε το τέλος δεν ήρθε ακόμα η αρχή
στη φυλακή μου αγγέλοι μπαίνουν σιωπηλοί.

The Bear

A chain tied around my neck
I'm a bear; I dance a gypsy dance.
I'm a bear; I dance a gypsy dance.
A chain tied around my neck

In the stadiums they train me
to greet the angry crowds.
Together with monkeys
they make me bow to the angry crowds.

Silent angels enter my cell
the end has come – the beginning's still to come,
the end has come, the beginning's still to come.
Silent angels enter my cell.

Στις δέκα του Δεκέμβρη

Ξεπροβοδίζουν το παιδί στην παγωνιά
έχει τα χέρια του στο στήθος σταυρωμένα
δεν έχει όνομα δεν έχει φαμελιά
κι είχε τα νιάτα του στην άνοιξη ταμένα.

Στις δέκα. του Δεκέμβρη
πομπή φανταστική
αγόρια και κορίτσια σκοτωμένα
στην άνοιξη περνούν ευτυχισμένα.
Κι η άνοιξη σκεπάζει
μ' ανθούς ιδανικά
κορμιά αδερφωμένα

Καθώς κοιτάζω το αγόρι το χλωμό
αρχίζει, σκέφτομαι, ένα αλλιώτικο ταξίδι
για όσους ζήσαμε εκείνο τον καιρό
και ό,τι πιστέψαμε θαμμένο έχει μείνει.

On the Tenth of December

They're sending the boy off in the bitter cold
his hands are crossed on his chest
he has no name, no family
he offered his youth to the spring.

On the tenth of December
a fantastic procession
of dead boys and girls
passes happily by in spring
and spring covers their hopeful bodies,
joined in brotherhood, with flowers.

As I look at the pale boy
he begins, in my mind, a different journey
for all of us who lived through those days
and whose beliefs have remained buried.

Ο προδότης

Κυνηγούσα μέσα στην Αθήνα
ήμουν τότε αμούστακο παιδί
είχα ένα πιστόλι και μια φίνα
αισιοδοξία τρομερή.

Η καθοδήγηση με στέλνει για να βρω
έναν προδότη που στη Γούβα τριγυρίζει
βρίσκω το σπίτι και την πόρτα του χτυπώ
κι η μάνα του με γέλιο με καλωσορίζει:

«Κάτσε, γιόκα μου, να ξαποστάσεις
όπου να 'ναι ο γιόκας μου θα 'ρθει
για τη φτώχεια μας μη μας δικάσεις
η καρδιά μας μόνο είναι καλή.»

Τηνε κοιτάζω, σκέφτομαι πώς να της πω
πως ήρθα τον προδότη γιο της να σκοτώσω
πάνω στο αίμα του παιδιού της τ' αχνιστό
μια Ελλάδα νέα πάω τώρα να στεριώσω.

The Traitor

I hunted the streets of Athens
—I was a beardless youth then.
I had a pistol and a fine,
fearful optimism.

The leaders send me to find
a traitor who hung out in Gouva.
I find the house and knock on his door
and his mother welcomes me with a smile.

"Sit down, son, and rest yourself,
my son will be here any time now;
don't judge us by our poverty,
our hearts are still good."

I look at her; how to tell her
that I've come to kill her traitor son?
On the steaming blood of her child
I've come to build a new Greece!

Ο κολίγος

Στρατιώτες ορκισμένοι
μπήκαν στα Καλάβρυτα
ξέρεις τι σε περιμένει
όλα μαύρα κι άδικα.

Του καιρού μας οι στρατιώτες
πώς να σ' το πω
δεν ορκίζονται ποτέ
είναι όλοι ιδιώτες
πώς να σ' το πω
με προσωπικό σοφέρ.

Στρατηγοί και Φαρισαίοι
μπήκαν στο κονάκι μου
ξέρω τι με περιμένει
γράφω το χαρτάκι μου.

Το εισόδημά μου γράφω
πώς να σ' το πω
κι αφαιρώ το νοίκι μου
και στο τέλος υπογράφω
πώς να σ' το πω
και την καταδίκη μου.

The Tenant

Sworn soldiers
entered Kalavryta.[32]
You know what awaits you
all black and iniquitous.

The soldiers of our times
never take oaths;
they're all civilians
with personal chauffeurs.

Generals and Pharisees
entered my lodgings;
I know what awaits me
I write on my paper.

I write my income
how can I tell you
and I subtract my rent
and at the bottom
how can I tell you
I even sign my conviction.

32 A village in the Peloponnese, whose male inhabitants were killed by the Germans in reprisal for the murder of a German officer during the Occupation.

Τη ρωμιοσύνη να την κλαις

Θα σας μιλήσω μ' ένα αλλιώτικο σκοπό
μη μου θυμώσετε πολύ, παρακαλώ.
ψάχνω να βρω τη ρωμιοσύνη
κι αυτό το πάθος μού την δίνει.

«Τη ρωμιοσύνη τώρα να την κλαις
να το συνηθίσεις να το λες.»

Στην απορία μου απάντηση ζητώ
με αποφεύγουνε, με παίρνουν για τρελό
η ρωμιοσύνη παντρεμένη
είναι ευτυχής και γκαστρωμένη.

Αυτά τα λόγια είναι παρανοϊκά
αφού γκαστρώθηκε, σημαίνει είναι καλά
με κουμπάρο τον Καρούδα
«έξω οι βάσεις απ' τη Σούδα.»

Weep for the Greek Spirit[33]

I'll speak to you with a different tune
don't make me too angry please
I'm trying to find the Greek spirit
and this obsession makes me mad.

"Weep for the Greek spirit now
so you'll get used to saying it."

In my uncertainty I look for an answer
they avoid me, take me for a fool
the Greek spirit is married
she's happy and pregnant.
These words are paranoid;
since she's pregnant she must be fine
with Karoudas for a best man[34]
"Out with the Suda bases!"[35]

---

33 Theodorakis's setting of a poem by Yannis Ritsos "Don't Weep for the Greek spirit", written shortly before the end of the dictatorship, was a rallying cry for the anti-dictatorship movement.

34 A thinly-veiled to Dimitris Maroudas, representative of the PASOK government at the time. Theodorakis saw this period, rocked by scandal and corruption, as a sad one in Greece's history.

35 A reference to the US airforce bases at Suda Bay, Crete.

Οραματισμός (Τα κρύσταλλα της αβύσσου)

Ψηλά στα χέρια κρατούν
μαύρα πανιά και θρηνούν
του κόσμου μαύρες μάνες
ανάβουν λαμπάδες

Μέσα στα Τάρταρα να φωτίσουν
σαν τον αρχάγγελο να ξυπνήσουν
Να γίνει φως γαλανό
τραγούδι συμπαντικό
τη γη να κατακλύσει
και να μας οδηγήσει.

Μέσα στα κρύσταλλα της αβύσσου
μπροστά στις πύλες της παραδείσου.

Vision

High in their hands they hold
black cloths and lament;
the black mothers of the world
they light candles.

To make a blue light
a universal song
to flood the world
and guide us.

In the crystals of the abyss
before the gates of Paradise.

Καλά Βουνά

Καλά βουνά μου μενεξιά
στα σύννεφα ντυμένα
τι με κοιτάτε σοβαρά
βαριά και πονεμένα;

Το μονοπάτι της ζωής
τώρα το παίρνω μόνος
όσο κι αν ψάξεις δε θα βρεις
πόσο πονάει ο πόνος.

Κι εσείς, παιδιά ερημικά
τον κόσμο δεν κοιτάτε
μες στην κρυφή σας τη στοά
μονάχοι περπατάτε.

Good Mountains

My good purple mountains,
cloud-dressed
why do you look at me solemnly,
heavy and depressed?

I walk life's path
alone now;
however hard you try
how much pain hurts, you'll never know.

And lonely children,
ignore the passing parade,
just walk alone
in your hidden arcade.

Το ταξίδι

Μια δρασκελιά Πετράλωνα — Θησείο,
δυο δρασκελιές Συγγρού — Καισαριανή,
βαθειά, μες στου μυαλού μου το αρχείο,
συννεφιασμένη είναι πάντα η Κυριακή.

Μη με κοιτάς με μάτια βουρκωμένα,
μες στην καρδιά μου τα 'χω σφραγισμένα
τα όνειρά μας τα χαμένα.

Πρωί πρωί θα σεργιανίσω,
θα πάρω δρόμο μακρινό,
τους φίλους θ' αποχαιρετίσω,
να ξαποστάσω πριν νά'ρθει το δειλινό,.

Στο μακρινό ταξίδι μου, θα πάρω,
όταν θα μείνω μόνος, με το Χάρο,
το τελευταίο μου τσιγάρο.

The Journey

A single stride Petralona — Thission,
two strides Syngrou — Kaisariani
deep in my mind's archive
Sunday is always cloudy.

Don't look at me with brimming eyes I
have them stamped on my heart,
our lost dreams.

Early in the morning I'll go for a walk
I'll take a distant road
I'll say goodbye to my friends
I'll stop to rest before dusk falls.

On my long journey
when I am alone with Death
I'll smoke my last cigarette.

Η Βεατρίκη στη οδό Μηδέν

1987

Beatrice in Zero Street [36]

1987, Paris

36 Most of the poems of the song-cycle "Beatrice in Zero Street" were written by Dionysis Karatzas. Two of the songs are settings of Theodorakis's poems.

Βεατρίκη πάψε να γελάς

Με ξεχνάς τα μάτια σου κλειστά
τα χείλη σφραγιστά
και χάνομαι στους δρόμους
Βεατρίκη πάψε να γελάς.

Μου γελάς το δάκρυ σου νερό
το γέλιο σου κενό
σαν τον αέρα
Βεατρίκη πάψε να γελάς.

Με πονάς σκιά μεσ' στη σκιά
σκορπάς σαν τον καπνό
και χάνεσαι στους δρόμους.

Βροχή μια Κυριακή
που μ' έδεσες για πάντα
στα χρυσά μαλλιά σου
Βεατρίκη πάψε να γελάς.

Stop Laughing, Beatrice

You forget me, your eyes closed
lips sealed
and I lose my way in the streets
stop laughing, Beatrice.

You laugh at me, your tears, water
your laugh empty
as the air.
stop laughing, Beatrice.

You hurt me, shadow in a shadow
you scatter like smoke
and disappear in the streets.

Rain, one Sunday
when you bound me forever
in your golden hair.
stop laughing, Beatrice.

Η Βεατρίκη στην οδό Μηδέν

Αχ, αχ, αχ, μικρό πουλί
τι ζητάς στην οδό Ερμού;
Έχασα τη Βεατρίκη,
ίσως να ψάχνει για καινούργιο καπέλο με φτερά.

Αχ, αχ, αχ, μικρό πουλί
τι ζητάς στην οδό Μηδέν;
Αύριο η Βεατρίκη δίνει τον όρκο
είναι ο πρώτος πολίτης του Μακρυγιαννιστάν.

Το παλληκάρι τ' ουρανού
φάνηκε στα σοκάκια
κρατά στο χέρι κεραυνούς
και στ' άλλο αναστεναγμούς
το παλληκάρι, το παλληκάρι
θά 'ρθει το βράδυ στις εννιά
βόηθα Χριστέ και Παναγιά.

Αχ, αχ, αχ, μικρό πουλί
τι ζητάς στην οδό «Γιατί»;
Δεν υπάρχει Βεατρίκη
αν υπήρχε δε θα μ' έβλεπες ποτέ.

Beatrice in Zero Street

—Ah, ah, ah, little bird
what are you looking for in Hermes Street?
—I have lost Beatrice,
perhaps she's looking for a new hat with feathers.

—Ah, ah, ah, little bird
what are you looking for in Zero Street?
—Tomorrow Beatrice swears her oath
she's the first citizen of Makryiannistan.

The brave lad of the sky
appeared in the lanes
he holds thunderbolts in one hand
and sighs in the other
the brave lad, the brave lad,
he'll come at nine in the evening
Christ and the Virgin help him.

—Ah, ah, ah, little bird
what are you looking for in Why Street?
There is no Beatrice
if there were, you would never have seen me.

Works by Theodorakis quoted in the text:

I had Three Lives: Selected Poems of Mikis Theodorakis, trans. Gail Holst-Warhaft. Athens: Livani, 2004

Journals of Resistance, English translation by Graham Webb (London: Hart-Davis MacGibbon, 1973) from French original: *Journal de Resistance*, Paris: Flammarion,1971.

Μελοποιημένη ποίηση (Poetry Set to Music), Athens: Ypsilon. In three volumes: vol.1, 1997, vol.2 1998, vol.3, 1999.

Οι δρόμοι του Αρχάγγελου: Αυτοβιογραφία (The Ways of the Archangel: Autobiography). Athens: Kedros. In 5 volumes. 1986-1995.

Το χρέος (The Debt). In two volumes vol. 1 Diary, 1967-70, vol. 2, Diary, 1970-74.

Further Reading:

Folkerts, Gerhard: *Mikis Theodorakis: Seine musikalische Poetik*. Neumunster: Bockel Verlag, 2015.

Giannaris, George. *Mikis Theodorakis Music and Social Change.* London: Allen and Unwin, 1973

Holst, Gail. *Mikis Theodorakis: Mikis Theodorakis: Myth and Politics in Modern Greek Music*. Amsterdam: Hakkert, 1980

Μίκης Θεοδωράκης: μύθος και πολιτική στη σύγχρονη ελληνική μουσική. Athens: Andromeda, 1980, Republished with additional material in 2014 by Metronomos.

Logothetis, George: *Mikis Theodorakis: The Greek Soul.* Ag. Anargyri, Greece: George Logothetis & H.D. Papadrimitriou, 2004.

Mouyis, Angelique. *Mikis Theodorakis : Finding Greece in his Music*. Athens: Kerkyra, 2010.

Wagner, Guy. *Une vie pour la Grèce: Biographie*. Luxembourg: Série Musique, Editions PHI, 2000. German and Greek translations exist.

Fomite

About Fomite

A fomite is a medium capable of transmitting infectious organisms from one individual to another.

"The activity of art is based on the capacity of people to be infected by the feelings of others." Tolstoy, *What Is Art?*

Writing a review on Amazon, Good Reads, Shelfari, Library Thing or other social media sites for readers will help the progress of independent publishing. To submit a review, go to the book page on any of the sites and follow the links for reviews. Books from independent presses rely on reader-to-reader communications.

For more information or to order any of our books, visit:
http://www.fomitepress.com/our-books.html

More Titles from Fomite...

Novels
Joshua Amses — *During This, Our Nadir*
Joshua Amses — *Ghatsr*
Joshua Amses — *Raven or Crow*
Joshua Amses — *The Moment Before an Injury*
Charles Bell — *The Married Land*
Charles Bell — *The Half Gods*
Jaysinh Birjepatel — *Nothing Beside Remains*
Jaysinh Birjepatel — *The Good Muslim of Jackson Heights*
David Brizer — *Victor Rand*
L. M Brown — *Hinterland*
Paula Closson Buck — *Summer on the Cold War Planet*
Dan Chodorkoff — *Loisaida*
Dan Chodorkoff — *Sugaring Down*
David Adams Cleveland — *Time's Betrayal*
Paul Cody— *Sphyxia*
Jaimee Wriston Colbert — *Vanishing Acts*
Roger Coleman — *Skywreck Afternoons*
Marc Estrin — *Hyde*
Marc Estrin — *Kafka's Roach*
Marc Estrin — *Speckled Vanities*
Marc Estrin — *The Annotated Nose*
Zdravka Evtimova — *In the Town of Joy and Peace*
Zdravka Evtimova — *Sinfonia Bulgarica*
Zdravka Evtimova — *You Can Smile on Wednesdays*
Daniel Forbes — *Derail This Train Wreck*

Fomite

Peter Fortunato — *Carnevale*
Greg Guma — *Dons of Time*
Richard Hawley — *The Three Lives of Jonathan Force*
Lamar Herrin — *Father Figure*
Michael Horner — *Damage Control*
Ron Jacobs — *All the Sinners Saints*
Ron Jacobs — *Short Order Frame Up*
Ron Jacobs — *The Co-conspirator's Tale*
Scott Archer Jones — *And Throw Away the Skins*
Scott Archer Jones — *A Rising Tide of People Swept Away*
Julie Justicz — *Degrees of Difficulty*
Maggie Kast — *A Free Unsullied Land*
Darrell Kastin — *Shadowboxing with Bukowski*
Coleen Kearon — *#triggerwarning*
Coleen Kearon — *Feminist on Fire*
Jan English Leary — *Thicker Than Blood*
Diane Lefer — *Confessions of a Carnivore*
Diane Lefer — *Out of Place*
Rob Lenihan — *Born Speaking Lies*
Colin McGinnis — *Roadman*
Douglas W. Milliken — *Our Shadows' Voice*
Ilan Mochari — *Zinsky the Obscure*
Peter Nash — *Parsimony*
Peter Nash — *The Perfection of Things*
George Ovitt — *Stillpoint*
George Ovitt — *Tribunal*
Gregory Papadoyiannis — *The Baby Jazz*
Pelham — *The Walking Poor*
Andy Potok — *My Father's Keeper*
Frederick Ramey — *Comes A Time*
Joseph Rathgeber — *Mixedbloods*
Kathryn Roberts — *Companion Plants*
Robert Rosenberg — *Isles of the Blind*
Fred Russell — *Rafi's World*
Ron Savage — *Voyeur in Tangier*
David Schein — *The Adoption*
Lynn Sloan — *Principles of Navigation*
L.E. Smith — *The Consequence of Gesture*
L.E. Smith — *Travers' Inferno*
L.E. Smith — *Untimely RIPped*
Bob Sommer — *A Great Fullness*
Tom Walker — *A Day in the Life*
Susan V. Weiss —*My God, What Have We Done?*
Peter M. Wheelwright — *As It Is On Earth*
Suzie Wizowaty — *The Return of Jason Green*

Poetry

Fomite

Anna Blackmer — *Hexagrams*
L. Brown — *Loopholes*
Sue D. Burton — *Little Steel*
David Cavanagh— *Cycling in Plato's Cave*
James Connolly — *Picking Up the Bodies*
Greg Delanty — *Loosestrife*
Mason Drukman — *Drawing on Life*
J. C. Ellefson — *Foreign Tales of Exemplum and Woe*
Tina Escaja/Mark Eisner — *Caida Libre/Free Fall*
Anna Faktorovich — *Improvisational Arguments*
Barry Goldensohn — *Snake in the Spine, Wolf in the Heart*
Barry Goldensohn — *The Hundred Yard Dash Man*
Barry Goldensohn — *The Listener Aspires to the Condition of Music*
R. L. Green — *When You Remember Deir Yassin*
Gail Holst-Warhaft — *Lucky Country*
Raymond Luczak — *A Babble of Objects*
Kate Magill — *Roadworthy Creature, Roadworthy Craft*
Tony Magistrale — *Entanglements*
Gary Mesick — *General Discharge*
Andreas Nolte — *Mascha: The Poems of Mascha Kaléko*
Sherry Olson — *Four-Way Stop*
Brett Ortler — *Lessons of the Dead*
David Polk — *Drinking the River*
Janice Miller Potter — *Meanwell*
Janice Miller Potter — *Thoreau's Umbrella*
Philip Ramp — *The Melancholy of a Life as the Joy of Living It Slowly Chills*
Joseph D. Reich — *A Case Study of Werewolves*
Joseph D. Reich — *Connecting the Dots to Shangrila*
Joseph D. Reich — *The Derivation of Cowboys and Indians*
Joseph D. Reich — *The Hole That Runs Through Utopia*
Joseph D. Reich — *The Housing Market*
Kenneth Rosen and Richard Wilson — *Gomorrah*
Fred Rosenblum — *Playing Chicken with an Iron Horse*
Fred Rosenblum — *Vietnumb* \
David Schein — *My Murder and Other Local News*
Lawrence Schimel — *Desert Memory: Poems of Jeannette L. Clariond*
Harold Schweizer — *Miriam's Book*
Scott T. Starbuck — *Carbonfish Blues*
Scott T. Starbuck — *Hawk on Wire*
Scott T. Starbuck — *Industrial Oz*
Seth Steinzor — *Among the Lost*
Seth Steinzor — *To Join the Lost*
Susan Thomas — *In the Sadness Museum*
Susan Thomas — *The Empty Notebook Interrogates Itself*
Sharon Webster — *Everyone Lives Here*
Tony Whedon — *The Tres Riches Heures*

Tony Whedon — *The Falkland Quartet*
Claire Zoghb — *Dispatches from Everest*

Poetry - Dual Language
Vito Bonito/Alison Grimaldi Donahue — *Soffiata Via/Blown Away*
Antonello Borra/Blossom Kirschenbaum — *Alfabestiario*
Antonello Borra/Blossom Kirschenbaum — *AlphaBetaBestiaro*
Antonello Borra/Anis Memon — *Fabbrica delle idee/The Factory of Ideas*
Aristea Papalexandrou/Philip Ramp — *Μας προσπερνά/It's Overtaking Us*
Mikis Theodoraksi/Gail Holst-Warhaft — *The House with the Scorpions*
Paolo Valesio/Todd Portnowitz — *La Mezzanotte di Spoleto/Midnight in Spoleto*

Stories
MaryEllen Beveridge — *After the Hunger*
MaryEllen Beveridge — *Permeable Boundaries*
Jay Boyer — *Flight*
L. M Brown — *Treading the Uneven Road*
L. M Brown — *Were We Awake*
Michael Cocchiarale — *Here Is Ware*
Michael Cocchiarale — *Still Time*
Neil Connelly — *In the Wake of Our Vows*
Catherine Zobal Dent — *Unfinished Stories of Girls*
Zdravka Evtimova —*Carts and Other Stories*
John Michael Flynn — *Off to the Next Wherever*
Derek Furr — *Semitones*
Derek Furr — *Suite for Three Voices*
Elizabeth Genovise — *Where There Are Two or More*
Andrei Guriuanu — *Body of Work*
Zeke Jarvis — *In A Family Way*
Arya Jenkins — *Blue Songs in an Open Key*
Jan English Leary — *Skating on the Vertical*
Marjorie Maddox — *What She Was Saying*
William Marquess — *Badtime Stories*
William Marquess — *Because Because Because Because Because*
William Marquess — *Boom-shacka-lacka*
William Marquess — *Things I Want You to Do*
Gary Miller — *Museum of the Americas*
Jennifer Anne Moses — *Visiting Hours*
Martin Ott — *Interrogations*
Christopher Peterson — *Amoebic Simulacra*
Christopher Peterson — *Scratch the Itchy Teeth*
Charles Phillips — *Dead South*
Jack Pulaski — *Love's Labours*
Charles Rafferty — *Saturday Night at Magellan's*
Ron Savage — *What We Do For Love*
Fred Skolnik— *Americans and Other Stories*

Fomite

Lynn Sloan — *This Far Is Not Far Enough*
L.E. Smith — *Views Cost Extra*
Caitlin Hamilton Summie — *To Lay To Rest Our Ghosts*
Susan Thomas — *Among Angelic Orders*
Tom Walker — *Signed Confessions*
Silas Dent Zobal — *The Inconvenience of the Wings*

Odd Birds
Micheal Breiner — *the way none of this happened*
Bill Davis — *Cheap Gestures*
J. C. Ellefson — *Under the Influence: Shouting Out to Walt*
David Ross Gunn — *Cautionary Chronicles*
Andrei Guriuanu & Teknari — *The Darkest City*
Gail Holst-Warhaft — *The Fall of Athens*
Roger Lebovitz — *A Guide to the Western Slopes and the Outlying Area*
Roger Lebovitz — *Twenty-two Instructions for Near Survival*
dug Nap— *Artsy Fartsy*
Delia Bell Robinson — *A Shirtwaist Story*
Peter Schumann — *A Child's Deprimer*
Peter Schumann — *All*
Peter Schumann — *Belligerent & Not So Belligerent Slogans from the Possibilitarian Arsenal*
Peter Schumann — *Bread & Sentences*
Peter Schumann — *Charlotte Salomon*
Peter Schumann — *Diagonal Man Theory + Praxis, Volumes One and Two*
Peter Schumann — *Faust 3*
Peter Schumann — *Planet Kasper, Volumes One and Two*
Peter Schumann — *We*

Plays
Stephen Goldberg — *Screwed and Other Plays*
Michele Markarian — *Unborn Children of America*

Essays
William Benton — *Eye Contact: Writing on Art*
Robert Sommer — *Losing Francis: Essays on the Wars at Home*
George Ovitt & Peter Nash — *Trotsky's Sink*